TAKE
SHOBO

あまとろクルーズ

腹黒パティシエは猫かぶり上司を淫らに躾ける

栗谷あずみ

ILLUSTRATION
北沢きょう

CONTENTS

イラスト／北沢きょう

あまとろクルーズ

Ama Toro Cruise

腹黒パティシエは
猫かぶり上司を
淫らに躾ける

一、菓子界の女王と、生意気坊や

「そろそろ結論を出すべきよ、怜衣(れい)」

作業台のシリコンシートの上に煮溶かした飴(あめ)を流す。少し毒々しいほど鮮やかな赤だ。

「下手に仏心を出すとよくないわ。きっちり引導を渡してやんなきゃ。ズルズル引き延ばす方が残酷よ」

ゴム手袋をした手で、怜衣は八十度近い熱を持った飴を折りたたみ、ひとつの大きな塊にしていった。手の中で赤は気品ある美しい色合いに変化していく。新しい色粉の配合は正解だったと思いながら、怜衣は折りたたみ、引き伸ばし、を繰り返した。

塊を両手で引き伸ばすごとに飴にだんだん艶が宿っていく。やがてちょうどよい大きさにちぎられた飴は、怜衣の指に操られ、まるで魔法のように、細い花弁を纏(まと)った菊の花の形になった。

「……怜衣ったら！」

飴細工をシートの上に置く瞬間を見計らったように名前を呼ばれ、怜衣は顔をあげた。

「なに、さやか」

　怜衣と同じく、白く背の高い帽子をかぶり、白いコックコートを着たさやかは、豪華客船『ディアマント』初乗船当時からの同僚だ。さやかはフレンチレストランのコック、怜衣はシェフ・パティシエールと所属は違うものの、国際色豊かな職場で貴重な日本人同士。口数少ない怜衣と社交的なさやかは、性格が正反対だからか、ふしぎとウマが合う。

「もう！　私の話聞いてた？」

「ちょっと待って……飴の色、やっぱり濃すぎるかしら。でもライトを当てることを考えるとね……」

「そうじゃなくて、怜衣！　飴細工は相変わらずすばらしいけど、作業に没頭しすぎて自分の職場の問題が目に入ってないんじゃない？」

　さやかの声を耳に入れながらも、怜衣はふたつめの菊を作り始める。

「あの生意気坊や、どうするの？」

　少し色を変えた方がいいかしら、などと考えている間に、怜衣の作業場とメインの厨房（ちゅうぼう）の間を仕切るドアからノック音が響く。

「失礼します、ボス！　『月刊クルーズ・ファン』のナガヤさんがお見えです！」

　ああ、来てしまった、と怜衣は作業を終わらせるべく、急いで手を動かした。

　四カ月かけて世界を周航する『ディアマント』は現在、東京港に停泊中だ。

　注目が集まる最新豪華客船のチーフ・パティシエールが日本人女性だということで、翌日までメディアの取材の予定が詰まっており、日常業務にも遅れが生じていた。

しかし、まだクルーズという娯楽を楽しむ人口が少ないとされる日本の人たちに、自分をきっかけにして興味を持ってもらえるならと、取材をすべて受けることを決めたのは怜衣自身だ。そのせいで自分の担当の仕事に遅れを出して、周りに迷惑をかけるわけにはいかない。さやかの言っていることもわかるのだが、今はそれどころではなかった。

「あら。これから取材？　いいわ。じゃ、後でバーでね」

集中して仕上げにかかる怜衣にそう言い残して、さやかの足音が遠ざかっていく。

「……待って。今夜は飲みには……」

飴細工を置いて顔をあげた頃には、さやかの姿はそこになかった。

怜衣を呼びに来た部下だけが緊張した面持ちのまま、ドアの向こうに佇んでいる。

真っ赤ないちごを飾り切りにしてのせたシャルロット。チョコレートオーナメントと金箔で大人っぽく仕上げたオペラ。琥珀色の飴焼きが美しいリンゴのシブースト。つやつやと表面が輝くミラベルのタルト。開きかけのバラの花に似せてクリームを盛ったモンブラン。スワンの形のシュー・ア・ラ・クレーム……。

怜衣はシャッターを切るカメラマンの後ろからショーケースを覗き込み、よし、と小さく頷く。自分が作った菓子の出来を厨房だけでなく、ショーケースの中や、皿に盛りつけた時にどう見えるかの『映え』まで、丁寧にチェックするのが怜衣のこだわりだった。

『ディアマント』のデッキ十三にあるティールームでは、伝統的なフランス菓子と創作ケーキを合わせ、常時十五種類以上をショーケースに収めている。長旅の船客を相手にする以上、頻繁に新作を入れて飽きられないようにする必要があるけれど、こうしてずらりと並べた時の調和と美しさはなによりも怜衣がこだわるポイントだった。

陸上のケーキ屋と同じではだめだ。夢のようにきれい、食べるのがもったいないと思わせるほどの迫力と気品がないと。

かつて王侯貴族だけが楽しめた贅沢（ぜいたく）、それを体現しなければ、豪華客船とは言えない。

『ディアマント』船長（キャプテン）のその考えに共鳴して、船に乗ることを決めたのだ。

カメラマンからケーキの写真映えを褒められても、怜衣が相好を崩すことはなかった。

「当然です」

ともすれば傲岸にも聞こえる言葉を返して、それから取材の三人にティールームの奥の席を勧める。もちろん、一段高くなったそこから、ティールーム全体を見渡した時にもっとも見映えがいいのを、計算に入れてのことだ。

丸いランプにアンティークのテーブル、光沢のあるクリーム色の花柄壁紙に、水色の同柄布の張られた椅子。内装はクラシックな邸宅ふうだが、大きく取られた窓からは、果てしなく続く青い空と海を、視界をさえぎられることなく見渡すことができる。

一面の輝く青色は、世俗のすべての忙（せわ）しなさから離れた、非日常の安らぎの時を、ゆったりと彩っていた。

ホールのBGMは弦楽四重奏。

客がなにもかも忘れて時間を過ごせるようにと、細部までこだわり抜いた空間だ。

「改めまして。『ディアマント』製菓部の三嶋怜衣です。今日はよろしくお願いします」

怜衣が深々と頭を下げると、編集者、ライター、カメラマンの三人が慌てたように頭を下げ返す。編集者のナガヤが、興奮した面持ちで言った。

「パリの国際コンクールで賞を取られ、本場フランスで『菓子界の新星』『若き女王』と言われるほどの方にこうしてお会いできて、緊張します。ケーキもご本人も、写真以上にお美しくて……！」

怜衣はしばらく微笑を浮かべ、歯が浮くような賛辞を聞き流した。

「……日本への凱旋帰国を待っていたファンも、多いんじゃないですか？　セカンド・パティシエとして勤めていらっしゃったパリの老舗菓子店から引き抜かれて、この豪華客船のティールームを任されたということですが、どうですか、やってみて、やはり船の上は違いますか」

女性だから、パティシエではなくパティシエールなのだが。

わざわざ間違ってますよとは指摘しづらい。掲載原稿のチェック時に修正をお願いすればいいか、と思っている間にも、じっと視線が注がれていることに気付く。

会話が問いかけで終わっていたことを思い出した怜衣は、慌てつつも、わざとゆったり微笑み返してから返答した。

「世界中からいらっしゃるお客様を、私のケーキでお迎えできて、光栄です」

ほう、と、三人の口元から感嘆の声がこぼれる。

「いやあ……『女王』ともなると、おっしゃる言葉にも自信と余裕がありますねえ」

「まったく」

笑みを保ちつつ、怜衣はまたこの流れか――と溜め息をつきたくなる。

コンクール優勝以来、何度も日本のメディアの取材を受けてきたが、話題になるのは決まって怜衣の外見と肩書きだ。それらを『女王』の一言でくくって、それらしい言動を言外に怜衣に求めるのだ。身の丈に合った謙虚なコメントをしても、『女王』の称号に相応しくないものは記事から省かれてしまう。自然と、相手から求められているキャラクターで人前に立つ癖がついてしまった。

(自信と余裕……なんて、持てたら苦労しないわ。二十八歳で管理職というのだって、本当はプレッシャーなのに……)

彼らが思うより、怜衣はずっと自分に自信がなく垢抜けない性格なのだが、それを知っているのは周りのごく少数の人間に限られている。いつの間にかメディアイメージが本人よりも先行してしまい、職場でも怜衣は不動の『女王』ポジションに君臨していた。

(このキャラクターのおかげで、スタッフが勝手に崇めてくれたり恐れてくれたりするから、やりやすい部分があるのも否定しないけど)

慣れない管理職の仕事をなんとかやれているのは、そのおかげもある。だから今更、印象を引っくり返すことはできない。

別に、見た目のせいで近づきがたいだとか、高飛車そうだと思われるのは、今に始まったことではなかった。そんな周囲の態度にもすっかり慣れたし、弊害は友達ができづらいことくらいだ。……それに、恋人も。

仕事がうまく回るのであれば、それくらい安い犠牲だと思ってしまう程度には、怜衣は仕事人間だった。ずっと男っ気なしで過ごしてきたわけではないが、怜衣にとって恋人というのは、経歴や名声と同じように、無力な自分を隠すために身に着けるアクセサリーのようなものだ。仕事ほどに恋人を大事に思えたことはないし、元彼から手痛い裏切りを受けたこともあって、今はそれほど積極的に恋がしたいとは思っていない。

（しっかりしすぎてかわいくない女ってよく言われるし、結婚して主婦になる自分なんて、想像できたことがないもの。私一人の力で生計を立てていかなきゃ。二十八歳でシェフ・パティシエール。三年後に自分の店を持つとして、豪華客船でのキャリアは大きな箔づけになる。『女王』のイメージだって……それで宣伝になるなら、利用しなきゃ損よね）

製菓の仕事が好き、『ディアマント』の掲げる高い理想に共鳴して、というのも本心。けれど、計算高さやしたたかさを身に着けないと、同業者やクライアントに利用するだけ利用されてしまうのも現実だ。

（本当に才能のある女王様なら、こんなせこくて不純な計算なんてしなくても、協力者に恵まれて、安穏と玉座に座っていられるのかしら……）

頭の中に浮かぶ美しい菓子のイメージだけ追い求めて、無心で調理場にこもっていられたらどんなに幸せだろう、と思う。元々怜衣はただ菓子作りが好きなだけだったのに、実家の小さなケーキ屋を継ぐだけでは物足りなく思えてしまい、最先端の現場で働くパティシエールになりたいと、夢を抱いてパリ修行に出てしまった。そこで、隙あらば相手を蹴落とそうとするライバルたちに付け入られないよう、慎重に振る舞う癖がついたのも、『女王』ぶりに拍車をかけてしまった一因かもしれない。

（そうは言ってもね、今更どうしようもないじゃない……）

開き直りの笑顔を浮かべて、ナガヤの問いかけに返事をしていると、セカンド・パティシエールのミシェルと部下たちが新作ケーキを運んできた。目の前に置かれたケーキに、お約束のように歓声をあげる取材チームに、怜衣は試食を勧める。

突然、その眼前、資料類の散らばるテーブルの中央に、ティーセットの載った銀トレイが無造作に置かれた。ティーポットに、空のティーカップとティーソーサーが三組ずつ、そしてシュガー&クリーム。砂時計の砂がサラサラとこぼれ落ちている。

怜衣はしばし呆然（ぼうぜん）として、その状態を眺めてしまった。取材チームもきょとんとした顔でトレイを見ている。トレイを置いて、やることはやったとばかり踵（きびす）を返しかけた青年を、怜衣は慌てて呼び止めた。

「ちょっと、……ハル。このお茶の出し方は、ないんじゃない？」

『女王』の仮面が剝がれそうになるのを感じつつ、なんとか抑えた口調で注意すると、ハルは一応足を止めて肩を揺らす。

「なにかいけないっすかぁ？」

彼が、先ほどさやかと話をしたばかりの『生意気坊や』だ。

製菓のパティシエ見習い、ハル。

確かイギリス人で、コック帽の下は金髪、海の色を思わせるブルーアイはつまらなさそうに細められている。すっと通った鼻梁に、やや幼さを感じさせる唇。耳の形とそこから顎までのラインは、驚くほど端正だ。どことなく横顔に色気があって、遊び人、という噂があることを思い出した。

まあ、若いから仕方ないのかもしれないが、取材に来てくれた相手に対して愛想笑いも浮かべず、いかにも今時の若者という感じの斜に構えた表情をしているのは、よくない。

そう思って、怜衣は声に非難の色を多めに含ませる。

「トレイごと乱暴に置くだなんて……」

「俺、サービス担当じゃねーし」

だからやり方がわからないのだと言いたいのだろうか。長身の彼に見下ろされながら、あまりに堂々とした口調で開き直られ、怜衣は絶句してしまった。

（なんて言ったら、通じるんだろう……）

日本の新社会人の「空気を読まない」振る舞いを噂に聞くことはあったが、今どきの若者というのは世界共通で非常識、そしてそのことを悪びれない傾向にあるのだろうか。少し世代が違うとまったく感覚が異なるものだ、と一瞬心が折れそうになるが、社外の人の

前で、部下を野放しにすることは管理職として許されない。きちんと指導しなければ。

しかし誰かを強く叱ったことのない怜衣は、言葉を探してしまう。

「トレイの上のものを、ちゃんと順番にお客様の前にお配りして……」

「ちょっと！　ハル！　あんた、お茶もまともに出せないのね！」

近くで見守っていたミシェルが慌てて駆け戻って、ハルを怒鳴りつける。

怜衣は、自分が言い聞かせるべきところだというのに、ミシェルが来てくれて少しほっとしていた。

「すみません。今、人がいなくて見習いを連れて来たもので。指導が行き届きませんで」

早口の英語で謝りながら手早くお茶を配り、トレイを下げるミシェルに、叱られたことに対する反省も見せずにハルが言い返す。

「なに言ってんの？　俺、サービス係の見習いになった覚えはないんだけど」

「生意気言わずに、とっとと下がって！　ボスの取材の邪魔しないで」

ミシェルは怒声をあげつつ、ハルの腕を引っ張るようにしてホールから退場させた。

あっけに取られている様子の取材チームに、怜衣は頭を下げる。

「すみません。お恥ずかしいところを」

「い、いやー。我が社にも、時々いますよ。有望な新人ってやつですね」

フォローのつもりなのだろうが、苦笑交じりで共感されるのが逆に恥ずかしくて、情けなくなる。

（新人で、指導が足りてない……それは、いいわ。誰だって最初はわからないことだらけなのよ。それは徐々に教わっていけばいい。問題は……）

ふてくされたような、かけらも反省の色が見えない、あの態度だ。本人に吸収する気がなければ、なにを教えても意味がない。

生意気坊や、という、さやかの言葉が蘇る。

職場の問題児——ハルのことを、そう認識しているのは、もはや製菓のスタッフにとどまらない。そこまで彼を放置してきてしまったのは、怜衣だった。

（どうしたものやら……）

秋の新作、二種のぶどうのタルトを褒めちぎる取材チームの声も耳に入らず、怜衣は心の中で溜め息をついた。

「もうあたしは面倒見きれませんよ」

取材が終わって厨房に戻ると、開口一番ミシェルが言った。怒りがおさまらないのか、喋る言葉が船内で共通語となっている英語ではなく、母国フランス語になっている。

怜衣もミシェルに合わせ、フランス語で問いかけた。

「ハルはどこ？」

「叱って、ゴミ捨てて来いって言ったら、それきり戻ってきません。どこでサボってるのか。それともこの船のゴミ捨て場は海底にあったんでしょうか」

「……そういうことは、これまでにも?」

「常習です。探しに行ったらキャプテンたちと休憩室でピザ食べてたこともあるんですよ。さすがにキャプテンの手前、怒れませんでしたけど」

「……ピザ」

「まだ技術もないくせに、掃除させれば雑だし、道具は出しっぱなし。朝は重役出勤でも、退勤はぴったり定時、もちろんやりかけの作業はそのまんま。態度はだんだんひどくなるばかり。なんであんなの面倒見なきゃいけないんでしょう」

「そう……」

ハルが船長の肝いりで製菓に配属されて、約一カ月半。専用の作業室がある怜衣と違い、大部屋の厨房で部下をまとめているセカンド・パティシエールのミシェルは、彼と接する機会が段違いに多かった。苦労も多かったはずだ。

何度か相談されたこともあったが、忙しさにかまけてきちんと話を聞いてこられなかった。今にも感情を爆発させそうな赤い顔に、怜衣は申し訳ない気持ちになる。

「ごめんなさいね、あなたに任せきりにしていて。……いくつだっけ、あの子。まだ若いから、誘惑が多いのかしら……」

「二十歳ですけど。誘惑に負けるようなら、それまでです。ボス。これまであなたの傍で勉強したいっていう見習い希望を、何十人断ったと思ってるんですか。皆、製菓学校を出てて、やる気もあって、礼儀正しい子ばかりでした。少なくともあいつの百倍は」

「ミシェル……」

「いくらキャプテンの紹介だからって、ああいう子が一人いたら職場が崩壊します。皆、我慢してるんですよ」

　ミシェルの言葉にはっとする。他のスタッフはなにごともなかったかのように作業していたが、先ほどから聞き耳を立てていたようだ。視線を向けると、怯（おび）えたようにさっとそらされる。気まずい空気の中、ミシェルが口を開いた。

「ボスが言いづらいっていうのなら、あたしが……」

「……いいえ。待って。よくわかったわ。一度私が話します」

　ここまで職場の空気をこじらせてしまったのは怜衣の監督不行き届きだ。処遇をどうするにせよ、一度ハルと膝を突き合わせて話してみないことにはどうにもならない。

　根競べのように見つめ合うと、ミシェルが先にふうっと息を吐いた。

「わかりました。ここはボスの城ですから。だからこそ、あたしもセカンド・パティシエールとして、ボスの手を煩わせないうちに、あいつをなんとかしたかったんですけど」

「……ありがとう。ミシェル」

　気心の知れた彼女がフランスからついてきてくれたからこそ、怜衣も安心して自分の作業に没頭できるところがある。

　感謝を込めて礼を言ったところで、ぼん、と勢いよくスウィングドアが開いた。厨房にいた全員が、入ってきたハルに微妙な視線を送るが、彼は意に介さない様子で手を洗う。

「……ハル。仕事が終わったら、私と話をしましょう」

怜衣が言うと、彼は露骨に嫌な顔をしてのけた。

「えーっ。時間外は困るんすけど」

思わずミシェルと目を見合わせてしまう。

彼女が「お手上げ」のポーズを取るので、怜衣は仕方なく言った。

「じゃあ……今日はもう仕事は上がって構わないわ。終業時間の六時まで時間をちょうだい。――私の作業室へ来て」


作業台がひとつとコンロ、シンク、冷蔵庫と冷凍庫だけのこぢんまりとした怜衣の作業室の隅に、書き物デスクがある。

怜衣はハルにデスクの椅子に座るよう勧め、作業台の上を片付けた。

「さて……と。ハル?」

一段落ついて怜衣が振り返ると、ハルは椅子の上で足を組んで背もたれに体重をかけ、怜衣のアイデアノートをめくっていた。

やれやれ、何様だ、と溜め息をついて、折りたたみのパイプ椅子を持ってハルの前に行く。存在を示すように音を立てて椅子を置いても、ハルは姿勢を変えなかった。

まあ、見られて困るものは、置いていないのだけれど。

「そのノート、面白い?」

「……まあまあ」

　怜衣の声に、一応返る言葉がある。突っ込みたいことはたくさんあるけれど、ひとまず会話を続けることを優先した。まだ怜衣は、彼のことをよく知らないのだ。

「別に見ても構わないけれど、私のものに触るのだから、声はかけて欲しいわね」

「職人の仕事は目で盗む、って言うよな？」

「だからって目の前で堂々と盗まれて、どうぞ大歓迎です、とはならないわよ。せめてこっそり盗み見なさい」

「そういうもんか」

　とりあえず、会話が成立していることに安堵する。まったく言葉の通じない、宇宙人のような子だったら、手の施しようがないからだ。

　怜衣は彼の前に座って、できるだけ高圧的に聞こえないように話しかける。

「……職人に、なるつもりはあるのね。だったらよかった。製菓に興味ないんだったらどうしようもないもの」

「興味ないやつがなんでパティシエ見習いになるんだよ」

「そうね。でもあなたの態度じゃ、いくら情熱があったとしても、人にやる気がないと疑われてしまうわ」

「茶の出し方が悪いから？」

　拗ねたように口をへの字に曲げられて、怜衣は肩を竦める。

確かに生意気坊やだ。ああ言えばこう言う。

だが、ノートに注がれていたのは真剣なまなざしだった。少なくとも菓子を作ることに対して、関心は高いのだ。

怜衣も見習いの頃、師匠のメモをこっそり見たことがあるので、なんとなく当時の自分を重ねてしまう。雑用ばかりでつまらないと思っていた時も確かにあったし、若くともプライドは山のように高かった。

（隠していただけで、私も生意気だったわ。彼も少し不器用なだけで……周りのやる気を引き下げるだけのだめな子じゃないのかも）

製菓の仕事に携わる人の中にも、様々なタイプがいる。金のためにやっている者、異性にもてると思って始めた者、注目を浴びるのが目的の者もたくさん見て来た。

彼らは例外なく、新しいレシピや食材への関心は薄かったものだ。

（うまく彼のモチベーションをあげることができれば、もしかしたら……）

励まされるような気持ちになって、怜衣は声を弾ませた。

「それも含めて。雑用にあたる態度、周囲への気遣い。あらゆることが、あなたへの評価になるの。だからね、ハル……」

しかし、淡い期待は次の瞬間、粉々に打ち砕かれる。

「あー。そういうの、いいんで」

「……いい、って？」

「面倒じゃん。別に、周りの目とかどうでもいい」

短く切った爪を手持ち無沙汰そうに触りながら、ハルは言い捨てた。怜衣は彼の真意を摑みかねて、表情を凍らせる。

（だ、だめよ、感情的になったら……）

しかし、冷静に考えてみても、舐(な)められているとしか思えなかった。

なにもこの職場が、特別なルールを敷いているわけではない。調理の世界の師弟関係は、普通、もっと厳しいのだ。ボスが王様で、見習いに発言権などないという、時代錯誤で理不尽な職人の世界の名残が、まだ残っている。修業時代、師匠に殴られる兄弟子を見て戦慄したこともあり、むしろ怜衣はあまり部下たちに厳しくできない方だった。言いづらいことを言わねばならないこともあったが、そういう時『女王』キャラは便利で、さらりと忠告すれば、部下の方も意図を吞(の)み込んでくれていた。怜衣の顔色を読まない、ハルのようなタイプには、これまで出会ったことがなかったのだ。

「ハル。仕事は好き嫌いで選り好みしていいものじゃないのよ……」

「そう言われてもなー。俺、自分を曲げられない性質で」

「………」

「嫌なら辞めさせれば？　あんたにはその権限があるはずだ」

ハルの言葉に目の前が真っ暗になるのを感じながら、怜衣は彼のことを注視し続けた。

なにを考えているのだろう。八つ下——二十歳。怜衣が高校を卒業してフランスに渡った年頃。遊んだりお洒落をしたりする暇もなく、必死に下っ端として働いていた思い出しかない。言いたいことは呑み込み、手を動かし続けていた。ハルのように、好き勝手な言動をしたことなどない。……彼の考えていることがわからない。

「ここ、辞めたいの？　ハル」

考えすぎて酸欠になりそうな頭で、ようやく怜衣は尋ねる。

彼の方に、どうしてもここで働きたいという気持ちは見えないし、代わりはいくらでもいる、とミシェルは言っていた。そうすべきなのだろうか。だが――ハルはまるで、感情を読まれまいとでもするように、ふい、と視線を横にそらした。

「……別に。でも、クビ切られるんならしょうがない」

どこかさびしげなハルの声が、怜衣の胸に突き刺さる。

管理職としてどうすべきなのか、考え込む怜衣に、再び視線を合わせてハルが言った。

「ここに来て一カ月半……あんたようやく、真正面から、俺のこと見たよね」

嵐のような後悔が、怜衣を襲った。一カ月半。自分は一体なにをしていたのだろう。

考えがまとまらないまま、震える声で、怜衣は言葉を喉から絞り出した。

「私……今日ほどがっかりした日ってないわ」

「……ふうん？」

「あなたにじゃない。自分に……。部下のことも把握していないで、なにがシェフ・パティシエールよね……」

菓子作りだけ極めればいいと、どこかで思っていた。

それ以外の仕事をミシェルに任せきりにして、見習いスタッフ一人の敬意すら得られていない。

「情けないわ……」

裸の王様、という童話を思い出す。実際はなにも着ていないのに、周りにおだてられ、自分が美しい衣装を纏っていると勘違いしてしまう、愚かな王様の話だ。

――自分は裸の女王様だ。

すばらしい職場を与えられ、天狗になっていた。まだなにも始まってはいなかったのに。

「ボス」

なにかが溢れてしまいそうで、それ以上口がきけない怜衣に、ハルの声が気遣うような響きを帯びる。

それがまた情けない。部下に同情されて、なにが管理職だと思う。思って声を励ます。

「ハル。明日から厨房じゃなく、こっちの私の作業場に出勤しなさい」

「え？　来るな、じゃなくて？」

「そうよ。来なさい」

まだ自分はなにもしていない。彼をうまく導けるのかどうか自信はないが、その前に、やったと言えるだけのことはやらなければ。なにもしないまま彼を切り捨てることは、避けなくてはならない。

「私が直に仕事を教えるわ。それで、諦めた方がいいと思えば、改めてまた相談が必要になるでしょう。でも、とりあえず、やってみない？」

ハルは不可解そうな顔で見返してきた。変な上司だと思われたに違いない。どう思われようと、構わなかった。

壁掛け時計の針が少し大きめの音で時を刻んだ。六時——ハルの定時だ。

「……話はそれだけ？」

沈黙に焦れたように、ハルは肩を揺らした。

「ええ」

「じゃ、俺はこれで」

「待って。……出勤と退勤の時には必ず挨拶をするようにしましょう。私もするから」

しぶしぶ、という表情ではあったが、

「……れ、っす」

「お疲れ様。明日も、よろしく」

一応言う通りにしてから部屋を出て行ったハルに、怜衣はへたり込みたい気持ちを抑えつつ、首をぽきりと鳴らす。

（これでよかったのかしら……）

前途多難だが、とりあえず一歩前進——。そう思いたかった。

二、ワーカーホリックと、侵入者

「……落ち込む」

「あらあら！　私の胸でお泣きなさい？」

滅多に弱音を吐かない怜衣に、さやかは大げさに驚いた声をあげて、手を広げた。

デッキ六のバーは黒を基調とした空間に赤いソファがアクセントとなるモダンな内装だ。『ディアマント』では、勤務時間外にスタッフが船客用のスペースを利用するのは自由である。ただ、従業員専用バーや食堂も充実しているので、若い子たちは料金が安く気軽に騒げるそちらに行くことが多い。社内の人間がいないところでゆっくり話がしたい時など、怜衣たちチーフクラスのスタッフが使うのは、もっぱらこちらだった。

さやかのボリュームのある胸元に、男性ならば喜んで飛び込むのかもしれないが、怜衣は感謝の印に手元のグラスを振って、氷の音を鳴らしただけだった。

「……私、酔ってるかしら。さやか」

「そりゃあ、これだけ飲めばね」

「……そんなに飲んだかしら」

「シャンパンから始めて白&赤ワイン、ウィスキーまで、顔色も変えずによくもまあ」

「ここのバーと製菓でコラボするのよ。来月……」

「仕事の鬱憤を晴らしにきて、また仕事の話！」

信じられない、とさやかが小さく悲鳴をあげてテーブルに突っ伏す。

奥まった席で照明が絞られているので、人目を気にする必要はなかったが、それでも少しきまり悪くて、怜衣は指先で頬をかいた。

「いえ、その。ついでよ」

「ほんと、仕事大好きなんだから……！　ね、でも今日半休取ったんでしょ？　もしかして日本に残してた彼とデートとかした？」

「いいえ。一人で仕入れした後、話題のパティスリーをいくつか回ってきたの」

「ああ……」

怜衣の言葉を聞いて、さやかは納得と失望の入り交じった声を出す。

（そもそも、そんな彼自体、存在しないしね……）

今日の仕事がばたついてしまったのは、取材だけではなく半休のせいでもあった。久しぶりの母国だからと思ったのだが、会いたい誰かもいないのに無理して下船する必要はなかったのだ。そう思うと、なにもかもうまくいかない自分に、いっそう落ち込みが増す。

「色気のないことね。いっそ船でのロマンスに賭けたら？　あんまり仕事ばかりしてると、そのうちお菓子作りサイボーグになっちゃうわよ」

「……それもいいかも」

　人間関係など、面倒くさいことに振り回されなくていいのなら、それもありか、と半ば本気で返すと、さやかに一蹴された。

「冗談じゃないわ。仕事だけの人生だなんて、そんな、さびしい」

「そこまでは言わないけど。同じ職場だと、なにかあった時に気まずいじゃない？」

「それはわかるけど……。じゃ、セレブのお客様狙いで、もう少し露出度の高いドレスでも着て飲む？」

「世界一周のロングクルーズよ。それこそなにかトラブルがあったら、逃げ場が……」

「そんなのいちいち考えてたら恋愛なんかできないわよ！　怜衣はすぐだめになった時の方を考えるんだから」

　痛いところを突かれてしまう。そうなのだ。怜衣はさやかのようにポジティブに考えることができない。だから、行動的になることができないのだ。

　保守的になってしまうのはどうしようもないことだった。二十代の初め、恋人だと思っていた男が、怜衣のレシピを盗んでコンクールに応募したことがあったのだ。それからというもの、恋愛の楽しさよりも、リスクの方を先に考えてしまう。

「うーん。今はいいわ……。職場の問題をどうにかしないと、気分が落ち着かなくて」

「生意気坊やの件ね。ようやく手をつける気になったか。ま、日和見主義の日本人の若者より骨があるのかも。あのスー・シェフに言いたいこと言えるなんて」

「なんのこと?」

「あれ、話さなかったっけ。あの子、うちのスー・シェフと犬猿の仲よ。顔合わせるごとに火花散らしてる」

「どうして……」

「さあ。でも大体あの子の方から仕掛けてるみたい。メニューにケチつけてくる、とかなんとか言ってたっけ」

「他部署でまで、なにやってるのよ……」

アルコールのおかげであたたまっていた気分が、急速に冷えていくのを感じた。

プライドの高いフレンチレストランのスー・シェフが、見習いに過ぎないハルに摑みからないだけ、ありがたかった。製菓との連携にヒビを入れまいとして、怜衣にはなにも言ってこなかったのだろう。そのうち機会を作って、スー・シェフに詫びなければ。

消沈して黙り込んだ怜衣に、さやかは慰めるような声で言う。

「あんまり考え込みなさんな。新人は、ある程度のところで見切りをつけるのも大事よ」

「……ええ」

でも、それは最後の手段だ。怜衣はウィスキーグラスを傾け、残っていた液体を全部喉に流し込む。ほとんど味がしなかった。

地下階の自分の個室に戻った怜衣は、シャワーを浴びて、濡れた髪を乾かした。

ベッドに横になると、身体が倦怠感に包まれる。しかし頭の芯には不安がのしかかり、なかなか寝付けそうにない。何度か寝返りを打った後、怜衣は諦めて体を起こした。

気を紛らわそう、と、備え付けのクローゼットを開けて、外出用の鞄を取り出す。

その中には、今日の午前中に立ち寄った書店で買った本の包みがあった。

人目を気にしつつ、怜衣が買い求めたのは何冊かの小説の文庫本と漫画の単行本だ。

扇情的なタイトルの表紙を改めて見ると、妙に落ち着かなく、怜衣はベッドのそばにある収納の引き出しからブックカバーを出し、本に巻き付けた。

酔った状態で小さな文字を追うのは難しいと判断し、漫画だけ枕元に置き、小説は雑誌の間に隠すようにして引き出しにしまった。怜衣は管理職で、個室をもらっているので、それほど神経質になる必要はないのだが、相部屋のスタッフたちはこういうものを読みたくなった時どうするのだろうかと、ふと疑問に思う。

（意外と若い子の方がオープンで、友達と貸し借りしたり……？　わ、私には無理……）

誰になにを言われたわけではないけれど、怜衣は自分がこのような本を読んでいることを誰かに知られることに、大きな抵抗を感じている。

それは日頃『女王』キャラをかぶっている弊害かもしれないし、根っこのところで、性的な欲望に後ろめたさを覚えているからかもしれない。

といっても、なにも特別な性癖を持つわけではなかった。実際にしたことがあるのは、いたってノーマルな行為だけだ。

けれど、本を選ぶ時、怜衣のアンテナに引っ掛かるのは、なぜか一般的な趣向より少し過激なジャンルだった。

甘い恋愛ものより、女性が乱暴に組み敷かれるような話。道具で手足を拘束され、口をふさがれ、執拗に体を弄られるような描写に、ひときわどきどきさせられてしまう。

実際にレイプされたいわけではないし、法的にも倫理的にも、許されない行為だと思う。しかしフィクションだと割り切れば、いけないものを覗き見る背徳感が、むしろ興奮に結びつく。

もちろん、こんなジャンルのお話が好きだなんて、誰にも言ったことはない。

フランスにいた頃はアパルトマンのパソコンで、無料公開のその手のサイトにアクセスすることもできたが、船の中で気軽にインターネットができるのは共用スペースくらいだ。『女王』キャラが定着した職場で、そんなページを開くことなどできない。今日は年に一度あるかないかの帰国の機会だったので、つい、書店で、買ってしまったのだ。

カバーをかけた漫画のページを、寝転がったまま、めくっていく。好きでもなんでもない男に犯され、快楽にのまれていく体……。それが非現実的なことだと知りながらも、怜衣はだんだん引き込まれていった。

読んでいくうちに、全身が火照るように熱くなっていく。

オムニバスになっている漫画の一話目を読み終えただけで、頭がぼうっとしてきてしまった。ワンピーススタイプのパジャマの内股に心許ない感触を覚えつつ、

（よし。寝てしまおう……）

　怜衣は手近なところに本を置き、枕に後頭部を預けた。

　読んだ本の内容に似た夢を、見ていたかもしれない。

　――いいだろう？

　夢の中で、顔の見えない男は囁く。

　――だめ。そんな……。

　――そんなことを言いながらも、君の身体は正直だよ……。

　首筋を伝って耳を食む唇の柔らかさ。のしかかる自分より高い体温と硬い筋肉。男もののヘアワックスの匂い。触れ合った肌から、顔の見えない男の静かな昂りが伝わってきて、怜衣はそれをどこか心地よく感じている。

　抵抗する力を奪うような、甘い、甘い愛撫。触って欲しい箇所が、次第にその存在を知らしめるように、感覚を尖らせて、ねだり始める。

「ん……」

　夢とも現実ともつかない陶然とした感覚に、怜衣はかすかな声を洩らした。体があたたかい。物さびしいものを残したまま眠りについた心身に、染み渡るような悦びの余韻を覚えつつ、怜衣は目を開けた。

（やだ……電気消し忘れてる……）

だから朝になる前に目が覚めてしまったのだろうか。

しかし、部屋は明るいのに、ふしぎと眩(まぶ)しくは感じなかった。薄ぼんやりと霞(かす)む視界の中、なにか大きな影が、電灯の明かりをさえぎっているのがわかる。

驚きのあまり、怜衣は一気に覚醒した。

(えっ……誰か、いる……!)

あまりにも唐突すぎて、まだ夢を見ているのかと思ったくらいだ。

影は獲物に喰(く)らいつくヒョウのように怜衣の首筋に顔を寄せ、そこに所有の証を刻むようなキスをした。

「んぅ……、や……っ」

「おはよ」

「……ハル?」

金髪の、影が、喋った。それは、部下の声をしている。

怜衣が驚きに目を見張り、体を起こそうとした時だった。腕に違和感が走る。うまく動かせない。それ以前に、両手が頭上に掲げられていることがまず、腑(ふ)に落ちなかった。

半分寝ぼけた頭で、必死に考える。

どうして自分はこんな体勢で寝ているのだろう? なぜ、彼が、ここに?

「ハル。これ、どういう……」

「いい恰好(かっこう)だね、ボス」

ハルはワックスで前髪を上げているせいか、職場で見せる姿とは印象がまるで違っていた。Vネックのカットソーにヴィンテージジーンズという恰好は、彼の顔の小ささとスタイルのよさを際立たせているように思う。いかにも若い仲間と従業員バーで騒いでいるのが似合いのルックスだ。だが、ぼうっと見惚(みと)れていられる状況ではない。

「どうして……私の部屋にいるの？」

「あのさ、ボス。バーに忘れ物しなかった？」

「忘れ物？」

「手帳。ブラウンの、皮のカバーの」

あっ、と怜衣は息を呑んだ。そんな大事なものをバーに忘れてくるなんて、つくづく、今日は飲みすぎたと反省する。

「ハルが、届けて、くれたの……？」

「部屋のドア、ノックしても返事なくて。大事なものだろうから、明日っていうのもさ。それで、ノブ回したら、開いちゃったもんで」

「それは……助かったわ」

ありがたく思いながらも、怜衣は、ハルに中を見られなかったかどうか、不安に思ってしまうのを止められない。手帳の中には、アイデアノートに清書する前の、まだどこにも出していないレシピを書いているのだ。かつての恋人にレシピを盗まれてからというもの、扱いには慎重を期しているつもりだった。

（まあ、ハルに盗作するほどの野心があったら、逆にびっくりするけど……）

人を疑う自分に嫌気が差しつつ、ひとまず手帳が無事に戻って来たことに安堵した。

「あ、手帳は、デスクの上に置いたから」

「……ありがとう」

怜衣は礼を言ったものの、それを確認するために体を起こすことができない。腕を動かそうとするとスチールパイプのベッドヘッドの柵が揺れる。手に結ばれたロープらしきものが、しっかりとそこに固定されているのだ。これでは、立ち上がることはおろか、手を動かすこともできない。

（……忘れ物を届けに来ただけなら、私を縛る必要はないわよね……）

ようやくそのことに思い当たった怜衣は、一瞬遅れて体温が下がるのを感じた。

「ハル。それで、あなたはなにを……」

相手の様子を窺いながら言葉を紡ぐうち、今日彼と交わした会話の数々が脳裏に浮かび、怜衣ははっとする。

「もしかして、仕返し、しに来たの……？」

怜衣の叱責が、若い彼のプライドを傷つけたのだろうか。

ハルは怜衣の頬の輪郭を指でなぞると、ふいに顎を掴み、くい、と上向かせた。

「仕返し？　むしろ、ご褒美じゃん。人聞き悪いな、そっちから誘っといて」

怜衣がどういう意味かと問う間もなく、突然ハルの体重が覆い被さってくる。

喉から洩れた悲鳴は、深く合わさった唇に阻まれた。

「……っ、ん……」

何年ぶりのキスだろう。

ミントガムだろうか、かすかに清涼感のある人工甘味料の味。怜衣の舌に強く絡み付き、離し、今度は別の角度から、啄(ついば)むようにくすぐる、肉厚な他人の舌の感触。

(や、やだ……若いくせに、……キス、上手……)

口蓋の裏から歯列まで、翻弄するように舌で愛撫され、怜衣の意思とは逆に、体に力が入らなくなる。ようやく唇が離れた瞬間、かすかに体の芯が震えたようだった。もっと、と言っているようで――怜衣は自分の変化に信じられない気持ちになる。

なんとか呼吸を継いでいると、

「――いつもこんなことしてんの？　ボス」

まったく心外のことを、からかうような口調で、しかしどこか腹立たしげにハルが問う。

「なんのこ……、やっ……」

怜衣が反論しようとすると、かり、とハルが首筋に歯を立てた。手加減されたらしく、傷になるほどの痛みではなかったが、鮮やかなその感触は、皮膚に焦げつく。

「……やらしい声」

普段よりも低いハルの声は、体勢のせいか、耳に入るのではなく、直接肌に染み入るように色っぽく響き、怜衣は、どっちがよ、と言いたくなった。

「ハル……わるふざけは、やめ……」

「ふざけて、ないデースヨー」

　怜衣は混乱の中でなんとか上司としての矜持を保とうとするが、ハルは気にも留めない。

「い、やっ……」

　怜衣の首筋から耳までの敏感なところを、何度も、ハルの口が行き来する。部下の唇の温度なんて知りたくなかった。

　ハルの体をはねのけたくても、手が拘束されている上、体格差があるので、どうにもならない。身動ぎしようとするたびに手首に食い込む気のする拘束に、だんだん抵抗する気が削がれていく。ロープなどより柔らかい、まるでナイロンのような、これはもしかして怜衣のストッキングを拘束具として使っているのだろうか。

（どうなってるの……。こんな、っ……だめ……）

　ハルの手が、パジャマの上から怜衣の胸の膨らみに触れた瞬間、怜衣はありったけの気力をかき集めて声を出した。

「やめ、――いい加減にしなさい！」

　声量はそれほどではないが、怜衣の声はよく通る。ハルの動きが止まったことに励まされながら、怜衣はできるだけ威厳を保ち、落ち着いた声で話すことに努めた。

「なんのつもりか知らないけれど、いたずらにしては度を超してるわ。こんな……上司をからかう以前に、女性に対して許されないことをしているってわかってるの？」

ハルは作業場に呼び出した時と同じ、ふてくされたような子供の顔で黙っていた。

怜衣の手はまだ拘束されたままで、彼がその気になれば、暴力をふるわれても抵抗できない状況だ。怖くないと言えば嘘になるが……しかし、『ディアマント』は夜に東京を出港し、海路で神戸に向かっていた。そして同じフロアにいるのは、同じ船で働く顔見知りばかり。そんな逃げ場のない状況で傷害事件を起こすほど、頭が悪い子ではないはずだ。

「……イヤなのか。イヤなふりじゃなく？」

「どうしてふりなんかする必要があるの。……さあ、手をほどいて。今回だけはなかったことにしてもいい、だからもう絶対、他の女の子にも、こんなひどいことはしないで」

「他の女……？　他の女も、こういうのを読むのか？」

ハルは首を傾げ、無造作にベッドから何かを拾い上げた。怜衣の眼前に、クラフト地のブックカバーを見せつける。彼がなにを言おうとしているのか、最初はわからなかった。

「何のこと？」

「こんなのを枕元に置いて誘ってきたのは、ボスが初めてだよ」

「あっ……！　まさか、中を、見たの……？　その、漫画……」

ハルは表情一つ変えず、ぱらぱらと片手で本を流し見る。

描かれていたものを思い出すだけで、怜衣の顔から火が出そうだった。

「ちょっと……か、返して……！」

すぐに彼の手から奪い返したかったが、拘束されていて、かなわない。怜衣は枕元に置いて寝てしまったことを激しく後悔した。まだ小説であれば、日本語がわからないハルをごまかせたのかもしれないが、漫画は絵なので、内容が一目瞭然だ。

(よ……よりによってハルに。一番見られたくない相手に見られるなんて……)

この場から逃げられるものなら逃げたかった。究極にプライベートな嗜好を部下に知られた。もし言いふらされでもしたら、二度と人前に出られなくなる。身の破滅だ。

「別に隠さなくても……。ボスも女だってことだろ」

「ちが……それは、たまたま、人に借りて」

「へえ、誰に？　フレンチレストランの胸が素敵なおねーさん？」

「…………」

嘘をついてもすぐにばれてしまいそうで、怜衣は肯定も否定もできなかった。

「自分で買ってきたんだろ？」

「……ちが……そんなの、本の中の作り事じゃない。好きじゃないけど、たまたま……」

怜衣はなんとか言葉で予防線を張ろうとする。

それに対するハルの返事は、微妙にずれていた。

「ま、確かに、同感。本より実地の方が楽しいもんな」

「……え？」

「本よりもいいこと、してやるよ。誰にも内緒で――な」

ぎゅ、と怜衣を抱き締めて囁くハルの声がひどく艶めいていて、背骨に電気が走った。

（……この子の声……なにもかも見透かしたような瞳……なんだか胸が苦しくなる……）

危ないとわかっているのに、彼の引力に引き寄せられつつあるのを、怜衣は感じていた。

彼の言葉が、甘い毒のように怜衣の鼓膜にこびりついて、じくじくと侵食してくる。

「……なにを言っているのか……わからないわ……」

声に力がこもらない怜衣を見て、ハルは獲物をなぶる肉食獣のような顔をした。

「怒ったふりするのは、恥ずかしいからだろ。わかりやすいね、あんた。ねえ、ＯＫなら三秒だけ我慢して、静かにしてて――」

声が、どういうことを示唆しているのか、わかっている。

怜衣の理性は、はっきりと大きな声で拒否することを要求していた。

なのに、どうしてか、胸が疼く。ハルを拒む理由が、職場の人間だという以外に見つからなくて――むしろ、受け入れる理由なら見つかってしまいそうで。

ハルはあっさりと怜衣から三秒間を奪う。声なしの、唇だけのカウント。

スリー。ツー。ワン。

「合意だね」

契約の証のように、まるで恋人同士のような甘いキスが降ってきたかと思えば――

「ハ……ハル、っ！」

体勢を変えたハルは、怜衣の右足を抱え、見せつけるように足の甲にキスをする。

膝下まであるワンピースタイプのパジャマの裾が、太腿まで滑り落ちた。

「や、やめなさいっ」

「もうタイムオーバーだよ」

ハルは怜衣の太腿に頬ずりし、膝からつまさきまでちらちらと舌を這わせていく。その舌使いに、陶然とした心地にさせられた怜衣は、声を失ってしまった。気を抜くと、我を忘れてしまいそうだ。宝石商がなめらかな布で売り物を磨くように、自信に満ちた手つきで、彼は怜衣を愛撫してくる。

（……な……に、これ。なんで……こんなきもちいいわけ……っ）

知らない感覚が、右足に次々と押し寄せていた。時々唇で強く吸い付かれ、甘噛みされると、隠れていた怜衣の女の部分が喜んでしまっているのがわかる。

「お、願いだから……」

はしたない。みっともない。見られたくない――。

そんな気持ちで口走ってしまう言葉を、ハルは艶然とした声で切り捨てる。

「やめない。だって喜んでるだろ、ボス」

勝手に震えてしまう体のことも、頭の中も、なにもかも彼に見透かされているようで、怜衣はぞくりと思わず背中を浮かせた。

（八つも年下の子に……こんな。されるがままだなんて……）

怜衣は両手首をこすり合わせる。それは袋小路から逃れようとして半分無意識で行ったことでもあったが、拘束の感触を自らの体に思い知らせる行為でもあった。

（……縛られる、なんて……フィクションの中だけだと思ってたのに……）

視線の向きを変えると、ハルと目が合った。彼は形のいい唇を歪ませて、舌先をちらりとのぞかせる。そして、自分の口内に、怜衣の足指を招き入れた。ふっくらとした舌と唇に包まれて、腰から下が溶けてしまいそうになる。

「っ！　……いやぁ……っ、……ハル、やめなさい……！」

命令形で喋りながらも、怜衣の声には懇願の色が含まれてしまう。

足指の股までひとつひとつ舐め上げられるなど、普通じゃなかった。それなのに、怜衣の体の奥で、ずくっ、と熱い波がうねる。連動するように内腿がひくん、と痙攣した瞬間、ハルは怜衣の足をシーツの上にゆっくりと下ろした。

「……そうだな。よっぽどマゾなやつしか、こんなシチュエーションで感じないか」

彼の手は試すように怜衣の太腿に置かれる。ハルの思惑を悟った怜衣は、はっと身を強張らせた。しかし、この場からはどうやっても逃げられない。

「……あ、っ……いや」

焦らすように太腿を撫で回した後、ハルの指は怜衣のショーツの中央にめり込んだ。ぐりぐりと布地を襞に押し当てるように揉んだ後、その指を自分の鼻先に持って行き、くん、と匂いを嗅ぐ。

「……ねえ？　ボス。羞恥心で顔から火が出そうな怜衣に、彼はとどめを刺すように囁いた。なんでここ、こんなに濡れてるんすか？」

「……っ……」

あまりの羞恥に、怜衣はぎゅうと目を閉じ、唇を噛（か）む。

（やだ……。そういう本が好きなだけだと思ってたのに……私……変態なの……？）

自分の体に裏切られたような気がして、怜衣は瞼（まぶた）の裏で、ひそかに涙目になった。

認めたくない。けれど、感触でわかる。彼は嘘をついていない。

怜衣が黙ってしまったのが不満なのか、ハルは下着越しに、指で蜜口を浅く掻（か）いた。

「ボス？」

「……っぁ！」

ハルの指先が、陰芽を探り当て、くっと押し潰す。

怜衣はひときわ強い刺激に堪えきれず、声をあげた。そのまま布越しに秘裂の窪（くぼ）みをこすりあげられ、滲（にじ）む蜜を敏感な芽に塗りつけられると、唇が締まらなくなる。

「あぁ……っ、ふ……、だ、だめ……そこ……」

「どんどんぬるぬるしたのが溢れてくる。なんだっけ、あんた、雑誌に書かれてたよね。菓子界の若き女王、だっけ。今どんな気分、女王様？」

「……やめ……ぁっ……そん……言わな……って……あ！」

「……でも、あんたのすすり泣きは、かわいくてたまんないね。作業場での取り澄ました声よりずっといい。もっと啼いてもらおうかな」

ハルは怜衣のショーツをぐい、と引く。引き下ろされる、という予想は裏切られた。彼は薄い布地を引っ張りながら、隙間に鼻先をねじ込んだのだ。

「あっ！　なっ……なっ、い、ゃぁっ！　こんなのっ」

秘められた大切な場所に、ハルの鼻がこすれた。湿った吐息がかかることで、そこが濡れていることを否応なしに意識させられる。ぬるり、と舌が陰核を舐めあげた瞬間、恥も外聞もなく怜衣は叫んだ。……叫ばされていた。

「いやあっ！　そん、口でなん……あ、ン、っぁああ！」

「すっげ、反応いい……。あーあ、ここも、真っ赤に腫らしちゃって」

「しゃべん……な……ふうっ……ああ、やぁっ……！」

体がぴん、と突っ張り、勝手に暴れ出す。手が動かせないのがもどかしくてたまらなかった。シーツを握って、快感に耐えたい。嬌声をこぼす自分の口を塞いでしまいたい。

それすらできず、腰を揺らして逃れようとすればするだけ、鋭敏な箇所の隅々まで舐め回されることになる。感じたことのない快楽が、怜衣をじわじわと犯していた。

もう耐えられない、恥ずかしい、――気持ちいい。

「こんな……、変にな……っ、あっ、やっ……ああっ……」

「なるほどね。ずっと、こんなふうに攻められたかったんだ」

「ちが……ぁ」

ハルが喋るたび、彼の吐息と唇が秘所に触れ、ぴちゃぴちゃと淫猥な音が、夜の私室に響き渡る。現実とは到底思えなかったけれど、これほど鮮烈な快感が夢などではありえなかった。体はどこまでも熱を帯びていく。

「ね、女王様。気持ちいいんだろ？」

「あ、っぁ、らない……で」

「答えてよ」

「……っ……んぁ……あ」

「なるほど、全然、足りないと」

ハルは冷淡にも聞こえる声で一人ごちる。

次の瞬間、熟れた果実と包皮との間に、ぞろりと舌が入り込んだ。

「やぁ……！　あぁあ、ハル、だめ、やめ、そこ……ゆるし……っひぅ……んん……」

ハルは焦れるほど緩慢に舌で花唇をかき分け、花芽を甘くかじり続ける。

目の前が明滅するような刺激に、もう抑えがきかなかった。下肢に幾度となく甘い痺れが走り、つまさきが反り返ってしまう。しかしそれは、決定的な刺激とはなりえない。

怜衣は自分の秘裂から、ひくん、ひくんと、蜜が湧き出るのがわかってしまう。

「女王様、はしたないな。全部舐め取ってあげたいけど、きりがない」

ハルは、怜衣の悲鳴のような哀願には耳を貸そうとしなかった。むしろ、高く声が跳ねた時の動きを執拗に繰り返して、理性を奪い取ろうとする。

怜衣は目尻に涙を溜めながらも、淫蜜を吐き出す膣口を、充血を増した陰唇を、快楽スイッチに成り果てた秘核を、ハルの前に差し出し続けることしかできなかった。

「あぁ……も……うっ……っあ……ハ、ル……おねが、い……」

「お願い？　なに」

「っ……あぁ……い……から……」

「聞こえない」

「んーっ……いいっ、きもちい、からっ、あぁっ！　だからっ……ハル……も……ゆるし……おねがいよ……」

　僅かに残ったプライドすらかなぐり捨てて、降伏宣言を吐き出す。

「了解、女王様」

　ハルは怜衣の足を下ろすと、下着を脱がせた。怜衣は秘部を晒す心許なさに耐えながら、腰をあげて協力する。

　とろとろになった箇所に、ハルはいきなり二本の指を突き入れた。

「ひ、ぁん！　……っ！」

　異物感はすぐに快楽となって爆ぜ、怜衣の目の前に火花が飛び散る。

　行為自体が久しぶりということもあって、ハルの指はいかにも窮屈そうだ。節くれ立った指の関節が、媚壁の感触を確かめるように押し拡げる。中で蜜を絡めるようにする指の動きに、びりびりとした電流が数秒に一回、怜衣の全身を駆け抜けた。

「んん……っ！　……ぁ……、やぁ、なに、これ……」

「え？　まだ指挿れてるだけだけど」

「あぁ……やぁ、っ、ハル……これ、へんに……なるっ……」

内壁が熱く蠢いて、ハルの指をきゅうと締めつけた。更なる刺激を求めるように、腰が勝手に動いてしまう。長い指は膣道の中で動いているに過ぎないはずなのに、剝き出しの神経を直接つまはじかれているような気分だった。

「しらな……ぁあ……こんなの、しらない……」

「どんな下手くその相手してやってきたんだよ、これまで。あんたほどの女なら、ちゃんと相手選べよ……」

「……そ、んなっ、こと……」

反論したいのに、ぱちゅぱちゅと蜜壺をかき混ぜる動きに、呼吸が跳ねてしまう。

いなすように、ハルは怜衣の中を玩んでいたが、

「あ、すごいむかついてきた」

唐突に思えるタイミングで呟くと、蜜壁のざらついた部分を指でこすりあげながら、怜衣の花芽にかぷりと口付け、舌で激しく愛撫した。その瞬間、怜衣の中でなにかが弾ける。

「っ、あ！　いやっ……ぁ、あああぁ！」

めくるめくような快感の波が押し寄せてきて、怜衣は全身を突っ張らせた。白い光が瞼の裏で膨張したかと思うと、ぱん、と音を立てて潰れる。愉悦の余韻に背中を反らし、ぶるぶると痙攣した怜衣は――やがて、はぁ、と息を吐いて体をシーツに沈めた。

「ボス」

しばらくしてハルが呼んだが、怜衣は目を開けることができなかった。

ただ荒い息を吐いていると、やがて衣擦れの音がして、痺れかけた手首にあたたかいものが触れた。結わえられたストッキングをほどきながら、ハルは平坦な声で呟く。

「ごめんな。今日は用意がなくてボスの喜ぶことあんまりできなかったけど、次はいっぱいいじめてやる。ボスのされたいこと、全部してやるから……」

怜衣は力なく枕の上で首を振ることしかできなかった。

「……んで……ハル……。なんで、こんなこと……」

「あんたのことが欲しいから。だから決めた、手に入れるって」

決まったことのように言われると、怜衣には、もうなにが正しくて、なにがおかしいことなのか、わからなくなってくる。

「あ。手首、赤くなっちゃってる。見て、ボス」

ハルに促され、怜衣は自由になった手を、眼前にかざした。彼の言葉通り、怜衣の手首には薄く、赤い紐状の痕がついている。

「痛かった？　いや、気持ちよかったんだよな。……俺がつけた痕だよ。ボスの手に」

ハルは怜衣の手を自分の方に引き寄せると、痕にさらりとした唇で触れ、誓いの言葉のように言った。

「所有の痕跡。俺の玩具だよ。女王様」

怜衣は瞼を閉じ、ゆっくりと意識を闇の中に落としながら、きっと悪魔はこんな声をしている、と思った。

デッキ五にあるメインラウンジの入口で、怜衣はガラスの展示台に飴細工をセッティングしていた。

「レイ。今回の飴細工もまたすばらしいね。とても繊細で日本的な美しさに溢れている」

背中から声をかけてきたのは、白い制服を品よく着こなした『ディアマント』の船長だ。

べっこう色の扇を軸に、周囲に咲き乱れる大輪の菊や桔梗の花で動きをつけ、アクセントにとんぼをあしらった飴細工は、船長の言う通り日本の秋をイメージして作ったものだった。京都に代表される雅な日本のイメージに、季節感を添えている。透き通る飴の色、泡粒のような空気の入り具合にこだわって、何度も作り直した作品なので、褒められると嬉しかった。

「ありがとうございます、キャプテン」

「これは食べられるのかな？　きっと夢のような甘さだろうね」

「ええ、でも、飴細工なので、そんなに美味しいものではありません。ティールームで明日まで、日本寄港記念の最高級宇治抹茶と黒蜜を使ったケーキをお出ししていますので、ぜひそちらを」

「む。これは参った。行かないわけにはいかないな」

渋いロマンスグレーの紳士が真面目な顔で言うので、おかしくなってしまう。

「キャプテンはお忙しいのに、すみません。でも、甘いものが食べたくなったら、いつでも船長室までデリバリーしますので」

「ぜひ頼もう。ああ、本当にきれいだね。君のおかげで、ますます『ディアマント』の魅力が増すよ。美しく浪漫に溢れた我らが船は、本当に宝石の名に相応しい」

浪漫、という言葉を、『ディアマント』の船長は事あるごとに口にした。人をわくわくさせるもの、感動させるものという意味なのだろうと、怜衣はなんとなく想像しているが、本当のところはわからない。しかし少年のような瞳で、『ディアマント』をよりよくしたいという理想を語る船長を見ていると、自分の仕事ももっとスキルアップしていかなければならない、そんなふうに自然と思わされる。

船長は怜衣の『女王』キャラにも容貌にも、一度も言及したことはなかった。一緒に夢の空間の実現を目指すスタッフの一人として扱われることに、怜衣は嬉しさを感じている。

「ところで、レイ。手首、どうかしたのかい？」

……かろうじて、動揺を顔には出さずに済んだと思う。

怜衣は笑みを少しだけ深め、包帯を巻いた両手首を持ち上げた。

「ええ。実はうっかり」

「火傷かい？　君が？」

「君がってなんですか」

「いやあ……。ひどいのかい」

「たいしたことありません。念のためですから。大げさなくらい」

夢だと思いたかった情事の痕は、朝になっても証拠品のように怜衣の手首に残っていた。痕を隠すための包帯は、これはこれで目立つので、詳しく訊かれても大丈夫なように嘘の理由を考えておいたのだ。幸い、船長はそれ以上深く追求しない。小さな子供ではないので、こんなものかもしれないと思いつつ、痕をつけた張本人と顔を合わせた時、自分が同じようにポーカーフェイスを保てるかどうか、怜衣は心配だった。

ハルは今朝、電話でミシェルに午前半休を申請してきたらしく、まだ出勤してきていない。特別な理由もなく、当日になっての休暇申請なんて、と腹立たしく思いながらも、朝一で彼と顔を合わせずに済んで、ほっとしたのも事実だった。

怜衣は朝からウェルカムパーティの準備で駆け回っている。忙しいのはありがたかった。することがない状態では、悶々と昨夜のことについて考えてしまいそうだ。

どうして彼はあんなことをしたのか。これから——彼とどうなるのか。

一度考え込むと、悪い想像が加速して、立ち竦んでしまいそうだ。

「頼むから、気を付けてくれよ。君の腕は『ディアマント』の財産なんだから。じゃあ、僕はこれで」

船長はそう言うと、怜衣に背を向ける。怜衣も飴細工の設置作業に戻った。ちらちらと目に入る包帯の下で、拘束の痕が、時々存在を主張するように疼く。

ラウンジのマネージャーと飴細工の扱いについて打ち合わせをした後、怜衣はバックヤードのエレベーターを使って、ティールームがあるデッキ十三に戻った。

『ディアマント』の中で、乗客が使えるフロアはデッキ五からデッキ十六までだ。その中には客室の他に、三つのレストランとティールーム、バー、劇場に図書館、カジノにプールにミニゴルフ、円盤突きにスカッシュ、インターネットカフェにゲームセンター、スパにエステ、ショッピングモールなどの飲食・遊興施設が揃っている。

初めて停泊中の『ディアマント』を見た時、ホテルかマンションのようだとその巨大さに驚いたものだが、機能性で言えばそれ以上だ。まるでひとつの街のように、数カ月船から出なくても、用が足りてしまう。

煌びやかに彩られた贅沢な夢の国。その一ピースであるティールームを任されている怜衣は、絶対に乗客の期待を裏切ってはならない。

(浮ついた気分で気の抜けた仕事をして、全部失うようなら、大バカよ、私……!)

怜衣が手を洗いながら気合いを入れ直し、自身の作業場に続くスウィングドアを開けると、作業台の前にいたハルが振り返った。

「——出勤したのね。お疲れ様。ハル」

普段通りの声が出て、ひとまず安堵する。ハルは意味ありげに笑みを浮かべたが、なにも言わない。構わず怜衣は冷凍庫を開け、冷菓の仕上がりを確認した。

「ハル。挨拶は？」

凍ったカップムースをしきつめた角バットごと取り出しながら声を強めると、ハルは持っていたセルクル（円い焼き型）を作業台に置いて近づいてきた。一瞬逃げたいと思ってしまったが、ここで負けるわけにはいかない。意に介さないふりをして角バットを作業台に置くと、背後からハルは両腕の間に怜衣を閉じ込めるようにして、台に手をついた。

「手首、どうかしたの？　大丈夫？　ボス」

怜衣の位置からハルの顔は見えないが、笑いを含んでいるのがわかるような声だった。

無視して、重ねて言う。

「昨日伝えたこと、もう忘れた？　ハル。挨拶、しましょう」

「………」

「ああ、メモ、見てくれたのね。コポー（削りチョコレート）の仕上がりは、後で見させてもらうとして。メモにも書いたけど、やむを得ない場合を除いて休暇は三日前には申請を出してちょうだい。今日みたいに内線一本っていうのは今後受理しないわ」

「そんな、つれなくしなくてもいいじゃん」

「ハル」

「……ドーモ。こんちは」

返事があるまで何度でも繰り返すつもりの怜衣だったが、ハルは存外素直に言うことを聞く。

コックコートが、まるで鎧を纏っているように怜衣に自信を与えてくれるので、予想よりも動じずにいられた。

「ねえ、ボス。午前中、俺、どこに行ってたと思う？」

「無駄話は好きじゃないわ。今夜はウェルカムパーティよ、手を動かして」

「そんな態度、俺に取っていいの？」

「腕をどけなさい」

移動しようとすると、目の前にある腕が邪魔になる。怜衣が冷ややかに命じた瞬間、ハルの手が台から離れたのを見、そこに体を割り込ませた。

ハルの作っていたコポーの具合を見ようとすると、背中から声がかかる。

「……逃がさないから」

やれやれ、と怜衣は首を竦めた。

「逃げたりしないわ。無駄なんでしょう？」

「あんたの趣味、皆にバラされたくないんだろ」

「最低ね。せめて、業務時間内は働きなさい」

「また夜、部屋に行くから……」

「コポーはこれでＯＫ。チョコレートムースもうまく凍ったようだから、コーティング用のグラサージュショコラを作ってくれる？　その間にこっちで飾りの飴細工とヌガティーヌを仕上げるから、横で見ておきなさい。手順を覚えたら全部あなたに任せるわ」

「え」

「できるの、できないの？」

「あ、え、えっと」

たたみかけるように言うと、ハルは慌てたようにムースの角バットと怜衣と冷凍庫を順番に見遣る。

「ムースは一度冷凍庫に戻すのよ。落ち着きなさい」

指示をすると、ハルは言われた通りに動き出した。

（よかった。なんとか仕事になりそうだわ）

プライベートでなにがあろうと、職場の秩序がめちゃくちゃになってしまうことだけは、避けなければならない。

当分の間は、怜衣の作業室でハルを下働きさせながら、怜衣自身が彼の行動を監視する、ということで、朝、他のスタッフの了解を得た。あんなことがあった後で、ハルと二人きりになることに不安もあったが、しかし彼を放り出すことはしないと決めた後なので仕方がなかった。彼が一人前の職人になれるか見極めることに、私情は挟みたくない。

チョコレートを湯煎にかけて溶かすハルを観察しつつ、手早く自分の作業の準備を進めていた怜衣は、いつの間にか、意外な気持ちで彼の動きを見ていた。

（……悪くないわね）

任せたのは、生クリームと水飴を同時に湯煎にかけ、四十度まであたためてからチョコレートと混ぜる作業だが、ゴムべらを扱うハルの手際が思いの他よく、動きに無駄がない。素質だけでなく、ある程度数をこなさないと、できない動きだ。ミシェルたちの評価を聞く限り、もう少しお話にならないものと思い込んでいたのだが、きちんと教え込めば、扱いに困る半人前坊やという評価を受けるほど、使えない子ではなさそうだ。

怜衣は少しだけ焦がした飴をクッキングシートの上に流し、トッピングの材料を作りながら、頃合いを見てハルに声をかけた。

「できた？　じゃあ冷凍庫からムースを出して、表面にかけて。……均等に。そう。なんだ、結構、慣れてるんじゃない」

「……そうでもないけど」

「グラサージュショコラの温度が下がるときれいな艶にならないから、冷めないうちに手早くやるのがコツよ」

「…………」

「ハル。返事」

「は、……い」

怜衣も頭の中で自分の段取りを組み立てながら手を動かしているので、手取り足取り指導するということはできないのだが、要点を押さえた動きには、あまり突っ込むところも見当たらない。

　ただ、確信的な手つきのわりに、表情に戸惑いが浮かんでいたので、気になって問いただすと、ハルは子供が拗ねたような顔で視線をそらした。

「なんでもない」

「じゃあ、なぜ、気に食わないような顔をするの？」

「そんなんじゃないけど」

「けど？　なあに。言って」

「……いいのかよ」

「なにが？」

「見習いに、こんな仕上げの大事なところ、させて」

「当然仕上がりはチェックするわ。お客様に中途半端なものは出せないもの」

「そういうことじゃなくて」

「不満なの？」

「じゃなくて！　……った、から、……」

「なに？　聞こえないわ」

「不満は、ない。あっちの作業場じゃ、ずっと仕込みとオープン前の仕事ばっかだったから、いいのかよって……思っただけ」

　なるほど、と怜衣は苦笑する。この業界では、比較的よく耳にする不満というやつだ。

大きな洋菓子店は、おおむね分業制を取っている。どこの店でも新入りは、毎日重い粉袋を運んだり、洗い物をしたり、熱いオーブン前で作業したりと、地味なわりに体力を使う、つらい単純作業を割り振られるものだ。生菓子のデコレーションやレシピ考案など、いかにもパティシエらしい華やかな仕事に憧れてこの世界に入った人間は、そこで挫折してしまう。下積み仕事に幻滅し、辞めていく若い子を、怜衣は何人も見てきた。

「仕込みはすべての基本になる大切な仕事よ」

「わかってる。けど」

「そればかりじゃ飽きるものね。なら、今をチャンスだと思ったら。知識と技術を身に着ければ、任される仕事は自然と変わるわ」

「………」

ハルは変わらず、むっつりした顔だ。

怜衣の言わんとすることが少しでも伝わったならよいのだけれど――。

高すぎるプライドは、彼を傲慢で子供っぽい、感じの悪い若者に見せがちだ。けれどその裏には、もっと成長したい、という傷つきやすく若々しい意欲が見え隠れしている気がしてならなかった。

自己評価と他者評価のギャップを解消する方法はふたつしかない。

自分のレベルをあげるか、他人の評価通りの自分に甘んじるか――だ。

「技術は好きなだけ私から盗めばいいわ。盗めるものなら、だけど」

わざと高飛車に、発破をかけるように言うと、ハルは溜め息をついて首を横に振る。

「……二重人格」

怜衣はそれを聞き流し、ハルに次の仕事の指示を与えた。


夜。ノックの音は密やかに、けれど強制的な響きを持って怜衣の耳に届く。

逡巡(しゅんじゅん)しつつ、しかしドアを開けないわけにはいかなかった。

管理職の私室が並ぶデッキ四の廊下は静まり返っており、若いスタッフがあちこちで酒盛りしているデッキ三と比べ、小さな声でもよく響く。夜勤の人間に見られないうちにと、怜衣は急いで部屋の鍵を開け、細くドアを開けた。

「すんなり入れてくれるんだね、無駄な抵抗もせず」

そこにいたのは、昼間の予告通り現れた、私服姿のハルだった。本来デッキ四で見かけるはずのない彼は、けれど誰かに見つかることなど気にしないように突っ立っている。

「人に見られるわ。早く入って」

「ふうん」

怜衣は声をひそめて囁き、ハルを部屋に招き入れた。話をつけるなら、室内しかない。

ハルは無遠慮に書き物デスクの上やベッド脇のローテーブルを眺めた。

昨日見られた漫画の類はすべて厳重に梱包(こんぽう)し、クローゼットの奥に突っ込んだので、見られて困るものはないはずだ。そう思うが、悪知恵の働く猫のような彼の目に晒されていることに落ち着かない気持ちになり、話しかけた。

「なにか気になる？　ハルの部屋と家具なんかは同じでしょう」

支給された最低限の家具に、ＴＶと冷蔵庫、ベッドが入って、空いたスペースにソファが置けるかどうかくらいの広さだ。一般職のスタッフ用の二人部屋に比べれば、広い方らしい。二人部屋はほとんどベッドに占拠され、寝ることくらいしかできない状態だという。乗務員の私室として使えるスペースは限られているので、仕方がないのだろう。

「いかにもボスの部屋、って感じだと思って。生活感がないくらい整頓されてて、よそよそしい。……昨日はゆっくり見れなかったからさ」

「……見なくていいのよ。それよりハル、昨日のこと」

「ボス」

玲衣は油断していた。昼間がうまくいったので、ハルのことをみくびっていたのだ。自分が寝起きでなければ、酔っていなければ、言葉でいなせると思っていた。きちんと上司として教え諭すことができるはずだと。

しかし、部下の掌は、長い付き合いの恋人相手にするように親密に玲衣の後頭部に伸び、自分の方に引き寄せている。

「パジャマじゃないから、シャワーまだかと思ったのに」

玲衣の頭が、ハルの胸元におさまった。彼のシャツに染みついていると思しきフレグランスの香りが、淡く鼻腔をくすぐる。

ハルも怜衣の髪に顔を埋めるようにして、すん、と香りを嗅いだ。

「……仕事で、汗をかいたから」

「俺が来るって知ってて、浴びたんだ」

用意して待っていたのかと言われたようで、反論したいがかなわない。

飾り気のない黒のシャツに白のパンツ、できるだけ女性らしさを感じさせない服を選んだ以上、彼の来訪を意識していないと言えば嘘になる。

す、とハルの長い指が怜衣の腕に触れた。心臓が早鐘を打つ。

「手首……。もう包帯はいらないんじゃ？」

ぞくん、と寒気に似たものが、怜衣の体を這い上がった。

一瞬本気で情欲に流されそうになり、だめ、と怜衣は唇の裏を噛む。しっかりしなくては。上司としての面子が立たなくなってしまえば、仕事が立ちいかなくなってしまう。

「ハル、どうして昨日はあんなこと……」

「約束通り、今日はもっといいことしてやるよ」

「……困るの。やめて……やめなさい」

作業場では自分のペースを保てたにもかかわらず、どうしてだか、今は強く出られない。

コックコートを脱いだ途端、自分がひどく頼りないものになってしまったかのようだ。

プライベートの怜衣には、なにも自信のもととなるものがなかった。評価も地位も、仕事に対して与えられたものだ。美しいと褒められる見た目だって、むしろ近づきがたいと遠巻きにされることの方が多い。ならば、仕事さえあればいい、と、そちらに持てる限りの時間や労力を注ぎこんできた。

その仕事という枠がなくなった瞬間、自分は人生経験も恋愛経験も人並み以下の、味気ない人間としか、他人の目に映らないのではないか。そういう怜衣の劣等感を、いかにも遊び慣れた様子のハルが刺激するのかもしれない。自分よりはるかに恋愛経験がありそうなハルに、上司という顔なしに、怜衣は立ち向かえる気がしなかった。

加えて、昨夜醜態を晒してしまったやましさもある。

「ねえ、ハル……話をしましょう？　今、お茶を淹れるから……」

「どうして？　そっちがその気なら、早速でしょ。見てこれ」

ハルは脇に抱えていた紙袋を持ってベッドまで行くと、袋を引っくり返して中身を落とす。怜衣は、ハルの後ろからシーツに散らばった中身を覗き込み、絶句した。

「……な……に……」

「ご感想は？　女王様」

怜衣は口を開けたまま唇をぱくぱくと動かす。

一番に目を引いたのは、バイブと呼ばれる振動式の大人の玩具だった。クリアピンクで作ってあるものの、リアルな男性器を模した独特の形状を、自分の居住空間で目にすることの違和感に腰が引けてしまう。

他にも、丸っこいローターが複数に、電マ、筆や羽箒、レザーの拘束具やロープ、ろうそく、ローションボトルなど、これまで読んできた本などからなんとなく用途が推測できるいかがわしいものばかりが、積み上がっていた。

「……こんなもの、こんなに……どこで……」

「今日船降りて、手に入るだけ買ってきた。日本の電化製品は優秀だって言うし」

「ば、バカじゃないの……」

そのためにわざわざ半休を取ったのかと思うと、体の力が抜けそうになる。怜衣が足を踏み入れる勇気すら持たない、いわゆるアダルトショップのようなところで買ったのだろうか。こんなにたくさんレジに持って行って、店員はどう思ったことか。怜衣はその想像を巡らせるだけで脳が溶けそうになるのに、ハルは平然としている。

（男の人は平気なの？　それとも外国人だから……？）

呆然としている怜衣の前で、彼は首を傾げてみせた。

「これじゃ足りない？」

なにを言っているの、と怜衣はその場にへたりこみたくなる。

「そんなわけないわ。あなた、誤解してる……私、こんなの……本当は知らない……」

「ふうん？　そんなこと言って、目が釘付けだけど？」

ハルは黒い手枷を拾い上げ、くすり、と笑んだ。澄んだブルーアイで、自分の奥底に眠る臆病な欲情まで、見透かされた気になる。

怜衣は手を取られそうになり、慌てて一歩下がった。

「……からかわないで」

「興味あるんだろ」

「私……一時の遊びでこういうことはできないの」

「俺、ボス好きだよ」

「………ハル、」

「好き。愛してる」

「やめて」

怜衣の退路を断つための詭弁だ。口先だけだ。

そうわかっているのに、チョコレートソースよりも甘い響きに、赤面してしまう。

「……二重人格。本当は、こんなにかわいい人なのに――」

ハルは、その場で固まった怜衣の右手を拾い上げる。怖じ気づいて丸まった指に、キスをひとつ。そうして包帯の上から、枷を怜衣の手首に装着する。

「だめ……。痕が……つく。人に、不審がられるわ」

「そう思って、柔らかいのを選んだよ、マゾのお姫様」

「………」

「傷にしたくないなら、俺が優しいうちに言うこと聞いた方がいいんじゃない？」

ハルの返しに、反論が封じ込められていく。

「無理やりされる方が燃える――っていうのなら、協力するけど」

勝ち目がない。

「さあ、逆の手も出して？　……出しなさい、ボス」

怜衣は顔を伏せながら、おずおずと胸の前へ左手を差し出した。

ふたつの手枷の間は鎖でつながれていて、その重みが怜衣の体に非日常の熱をともす。

「いい子だね。そしたら、そうだな、こっち来て」

ハルは、壁の前に怜衣を誘導すると、備え付けのハンガーフックに鎖を巻き付けてしまった。つながれた怜衣の両手も、頭上に掲げられる。ちゃらちゃらと金属質の音が聞こえるたびに、心臓の音が大きくなっていった。

これからなにをされるのか。あれこれ想像してしまって——耳の方まで、顔が熱い。

「あんま暴れないでね。一カ所に負荷が集中しないようにはしたけど、思い切り体重かけたらさすがにフックが折れるだろうから。……こんなの、普通に使ってたら壊れるものじゃないし。設備管理のスタッフに理由訊かれて、恥ずかしい思いしたくないだろ？」

「…………」

「なにされても抵抗できないね」

ハルは笑みを含んで、怜衣のおとがいに指を引っ掛けた。ゆっくりと顔をあげさせ、瞳の中を覗き込むようにしてから、指先を下へ滑らせていく。首、鎖骨窩（さこつか）、そしてシャツの第一ボタン。すべてのボタンを、ハルの片手が器用に外していく。息遣いが聞こえる距離に、興奮して、目を開けていられない。

「ボス？」

「……今は……ボスって呼ばないで……」

やっとの思いで声を押し出すと、ハルは楽しそうに喉を鳴らした。

「注文が多い女王様だな。なんて呼んで欲しいの？」

「なんでも……」

「レイ。玩具のくせにあんまりわがまま言うと、お仕置きが必要になるよ」

「………」

「ああ、それとも、お仕置きして欲しいの？」

ハルがその場を離れていく。戻って来た彼がベッドから拾い上げたアイマスクを怜衣につけようとするので、ゆるく首を振って拒否した。

「やめて……もう充分でしょう……」

だがハルは聞いてくれない。なにも見えなくなった不安感に、怜衣の声が細くなった。

「ハル、お願い……見えないと怖い……」

「だぁめ、レイに選択の余地はあげない。俺に任せて」

ハルはそう言って、怜衣の鎖骨の下に、柔らかな唇を触れさせる。視覚が奪われたぶん、他の感覚が鋭敏になっていて、彼の動きに合わせて空気が動く感じ、体臭と混ざり合ったフレグランスの香り、吐く息に含まれた欲望の糖度まで、全身で感じてしまった。

「……や……」

背中に回された手が、ブラジャーのホックを外す。布に覆われていたところが空気に晒されると、ハルに見つめられている気がして、ますます全身の感度が増すのだった。

「──尖ってる。乳首」

「ひ……ぁっ！」

ぢゅっ、と音を立てて、ハルの唇が言葉で示した箇所に吸い付いた。思わず声をあげる怜衣を翻弄するように、何度も角度を変えてついばむ。

「あっ……ふ、ん……やっあ、やだ……」

「触ってもなかったのに。縛られて、目隠しされて、期待しちゃってんだ？」

「ちっ……ちが……んん……」

舌先が乳暈（にゅううん）のふちから乳首までくすぐるように舐めたかと思うと、今度は唇が乳首を挟んで引っ張った。ちゅ、ちゅっ、と淫靡（いんび）な音が響くたび、ざわざわと甘く肌が粟立（あわだ）つ。

「んんっ……ぁ、っ……やっ……吸わ……ないでっ」

頭上で間断なく鎖が鳴っていた。怜衣は自分が手を動かしている自覚がないまま、ただ与えられる刺激に驚き、悶（もだ）え、腰を揺らす。

「硬くなってきた……レイ、感じやすい」

「言……わなくて……いい……っ！」

唇の攻めを受けているのとは逆側の胸が、あたたかな掌にすくわれる。節くれ立った指が肉に食い込み、たゆたゆと全体を揺らした。深く揉み込むような動きをする手と、乳首を舐る濡れた舌の感触。異なる種類の官能が、それぞれに、怜衣の身体を火照らせていく。

(私の体……ほんと、どうなっ……。こんな感じ方、どうかして……る)

仕事中は気だるげに文句ばかり言っている部下の口が、怜衣の肌を執拗に愛撫する。

部下にとんでもない姿を見られているという羞恥心を、絶望したくなるほどの気持ちよさに変換している自分が、どうかしているとしか思えなかった。

(……本当に……変態なのかも……私)

「あっぁ……や、あ……」

甘い声をこぼしたくなくて唇を閉じるのに、硬く尖った乳首を口の中で転がされるたびに全身が疼き、頭の中が痺れ、また声を出し始めてしまう。

「ぁあ――ん……や、ぃ、」

「いい?」

「……よ、く、ないっ……」

あんまり恥ずかしいので、意地を張って吐き捨てた。

そのせいでなにが起こるかなんて、よく考えもせずに。

「ふうん。本当に?」

「っつ!」

一段階声の冷ややかさを増したハルにきつく乳首を摘まれて、息を詰める。

怜衣はアイマスクをしてはいたが、今、あの意地の悪い瞳で見られているんだと、確信めいて思った。

「素直じゃないなあ。……ま、そうこなくちゃね」

彼はきっと、情欲を流し込んだきれいなカクテルのような瞳を細めて、笑っている。

「ぁあ……う、は、ぁ、……はぁん……」

くすぐったさに身悶えるたび、鎖が震える。時々、ぎしり、とフックが軋む感触がして、そのたびに怜衣は足に力を入れ直さなければならなかった。

怜衣が身に着けているのは黒のシャツ一枚、それも前をはだけられた状態で、肩から腕に纏いつく布でしかない。ブラジャーは両肩についているストラップを器用に外された上で取り去られ、下半身に纏っていたものも下着まで剝ぎ取られていた。

露出した部分に、ハルはごく柔らかで毛羽立った——羽箒と思しきものを使って、悪戯をする。

時間をかけて婉曲な愛撫を続けられた肌は、羽がひと刷きするたびに震えた。

「んっ！　っ！　……っ！　っぁ」

首筋。耳の裏。脇腹。臍の中。膝の裏。——およそ性感帯とは思えないようなところまで、羽は行き来した。全体をなすりつけるように踊らせたかと思うと、根元に近い、ごわごわとした感触の羽で上下にこすられ、かと思えば、柔らかな先端でくすぐられる。

「ぁあ……！」

胸の膨らみの中腹をなぞるようにされると、体が勝手に期待してしまい、肌が粟立った。

「ここ、そんなにイイんだ？　じゃ、これは？」

「や、……っ、だ、離して……もう……」

なんでもない時に、たとえば同性に冗談でされたなら、くすぐったいで済むほどの接触だ。けれど、女の弱点を熟知したかのようなハルの観察のもと繰り出されるそれは、やがてまともに立っていられないほどの快楽になって怜衣を苛んだ。

「こっちとこっち、どっちが好き？」

「ン……っ」

赤く凝り立ち上がった胸の先を、むず痒い程度に、羽で交互に撫でられる。膝頭をすり合わせる動きに、ハルは当然気付いているだろう。だが、固く閉じられた太腿を無理にこじ開けるようなことはしなかった。

いつまで経っても決定的な刺激を与えられないまま身悶える怜衣に、ようやくハルが囁きかけてくる。

「どう？　気持ちいい？　レイ」

「……もう、だめ……っ」

「楽になりたい？」

怜衣は何度も頷く。とっくに意地を張るどころではなくなっていた。

「じゃあ……片足をあげて」

「?」

「……違う、膝曲げて。下に椅子置くから、足をぶつけないようにね。蹴り飛ばしたらだめだよ」

怜衣は言われた通り、曲げた片膝を椅子に乗せる。

染み込むような優しい声に、すがりたい気持ちで言うことを聞いた。きっと楽にしてくれる、と、彼の温情に期待した。

むず痒い感触が、花びらの間をかき分けるようにして、すうっと撫でていくまでは。

「ひ——ん……っ」

怜衣は背中をのけぞらせる。感触の通ったあとがひんやりとしていた。

「内股まで垂れてる」

「ひうっ……やっ、だっ、ひゃ、ぁぁあ——ん」

ぞくぞくとした感触が背を這い上がる。一往復、二往復、三往復。

椅子に乗り上げた足が震える。つまさきを立て、怜衣は啼(な)いた。

「やぁっ、ふ、……っあ、あ、っやめ……」

「すごい。また溢れた。……素直な体だね。レイ」

「い、やだっ……は、ね、はね、もういやっ」

「うん? 今使ってるのは化粧筆」

「ゃぁああ――っ……」

　羽だろうが筆だろうが、そんなことはどうでもよかった。先端のちくちくした毛が、怜衣のもっとも敏感な部位の包皮をつつき、蜜を塗りつけるように蠢く。

「いやっ！　やっ、あああっ」

「ほんと……えっろ……。俺を誘ってるよ、ここ。見てるだけで、たまんなくなりそう」

「ふぅ……ぁっ、あっ、言わ、な……」

「はしたないね」

「いわないでっ……」

　懇願した瞬間、足の間からとろりと蜜がこぼれ落ちるのが、自分でもわかった。

　唇の端に唾液が溜まる。顎をあげて、なんとかそれを飲み干そうとするのに、ハルはそれすらお見通しのように、声を絞らずにはいられない刺激を与え続ける。

「んぁっ、やっ、そこっ、ああっ……」

「好きなんだろ、ここ。昨日も喜んでた」

　ハルは浅く筆を使う。細い先端は充血した突起の上をじわじわと移動する。毛束全体で撫でたり、くるくると円を描くようにしたり、そうかと思えば――。

「すげ、おいしそ」

「……え、やぁぁあっ？　なめ、ちゃ……やっ！」

　なめらかな舌が、小枝から直接果実をもぐように、熟れきった実に柔らかく絡み付く。

吸われた瞬間、ふわっ、と浮遊感に襲われて、一瞬意識が飛んだ。

怜衣の体から力が抜けかけたが、慌てて足を踏ん張る。

（だめ……っ）

体重がかかったら、手枷を絡めているフックが折れてしまうかもしれない。それどころか、どうかすると手が使い物にならなくなる可能性すらあって、その怖さが怜衣に一瞬冷静さを取り戻させた。

「あっ……ふ……っ、っ……！」

下唇を噛み、襲い来る快感をなんとか逃がそうとするが、達したいところで中途半端に堰き止められた体の熱は、出口をなくして身体の中で暴れ回る。そんな中、筆先が、ここが出口だよ、と伝えるように、秘部の中心に円を描いた。

「そうだよな。こんなにイヤって言ってるのに、まさかイッたりしないだろ」

「……ん……っう……」

「……ま、せいぜい、がんばって」

「うう……ぁう、や……うう－っ！」

ハルの舌先がちろちろと秘玉を舐めるたび、とろ火で炙られるような辛さが怜衣を襲う。

つぷつぷと、筆の先が浅く蜜口に潜る。怜衣が欲しい充足に比べ、あまりに頼りない感触だ。きゅっ、と筆を自身の中に呑み込もうとする肉の蠢き。淫らな欲求が肥大していく。

（いきたい、……っいきたいっ）

いっそ、そう口走ってしまえたら楽になるだろうか。腰から下だけ別の生き物になってしまったようだ。制御できなくて、ただ全身が熱い。

「くふっ……！　はっ……ぁう、う――ぁぁ、やだ、ハル、ぃやだぁ……」

目尻から涙がこぼれたが、アイマスクに吸収されてしまうので、ハルには見えない。

必死に耐えてなお、腰は淫らに踊り、足は今にも椅子を蹴飛ばしてしまいそうに震える。

「やぁっ！　ああっ、やっ、ハル、ハルおねが、っ……」

「なんのお願い？」

「もうほんとに、無理なの。……イきたい……」

怜衣はプライドもなにもかなぐり捨てて、恥ずかしい言葉を口にした。

「もっとかわいい言い方してよ。礼儀にはうるさいだろ、レイは」

自身は服を着て、余裕そのものの口調で言う部下が、憎らしくて仕方ない。なのに。

「……イか、せてください……」

それは、理性が欲望に負けた瞬間だった。

きっとハルは、さぞかし得意げな顔をしていると思う。

そんな彼にすら、すがり付きたくてたまらなかった。

少しの沈黙の後、筆の感触が遠ざかる。はあ、と、熱い息の塊を吐き出した次の瞬間、

「いいよ。イけよ」

「――っ、ん！」

ずくん、と種類の違う快楽が怜衣を襲った。目の前が白く溶ける。

突然突き入れられたハルの指が、怜衣の中で暴れ回った。

「あ――ああっ、や、あ、ああ――っ……」

何度も体を痙攣させながら、怜衣は快楽の波にさらわれていった。

手の危険のことはもう、考えられなかった。

しかし、崩れ落ちそうになった時、筋肉質な体に抱き留められる。続いて、痺れた腕と不安定な足が、自由になった。鎖をフックから外し、椅子を片付けてくれたのだろう。

(あった……かい……)

相手が部下ということも忘れて、怜衣は全身で彼にしがみついた。

「――っ……はぁ……」

荒い息をつき終えると、次第に虚脱感が襲ってくる。

ハルの背中に手を回したまま、ゆっくりと怜衣は床に膝をつき、尻を落とした。

やがて目の前の布を取り払われる。眩しくて、怜衣は目を閉じた。

「言えたじゃん。偉い、偉い」

「………」

ハルの手が、怜衣の後頭部を撫でる。小さな子供のように褒められて、感じるのは屈辱ではなく、自分を支配する相手への依存心だ。

ハルの、言うことを聞いた。柔らかな声で褒められた。イカせてもらえた。……嬉しい。

そう、回らない頭で考えている怜衣の太腿の間に、ハルはそっと片足を差し込む。

「いいこのレイ。もう満足した？」

「……っぁぁ……っ、や、だ……」

達したばかりでまだ敏感な花弁に、足の甲をこすりつけるハルに、怜衣はすがるような目を向けた。

「……い……いや……足でなんて……ひど、んぁ」

頭を撫でる手の動きは変わらず優しくて、怜衣の身体を溶かしてしまいそうだ。

両極端な仕打ちに心と体は混乱し、怜衣はされるがままになる。

「股、閉じるなよ。して欲しいことがあったら、ちゃんと言って」

「あぁ……、ひどい……っ……」

「ひどくない。こんなに濡らしといて。マゾのレイを、喜ばせてやってるんじゃん」

「ヒ……ッン！」

器用に足の指で蜜口をつつかれた瞬間、ぞくん、と体が震えた。怜衣の中から溢れた液体がハルの足を汚している。ハルの足指がくちくちと、卑猥な音を奏でている。

「気持ちいい？　これ、好き？」

「……っ、ル……足、じゃ、いや……」

「レーイ？」

「あっん！　いっ……いいっ……」

「好き？」

「……はい……、ぁぁ」

ゆるく首を振る怜衣の視線の先、両の手枷をつないでいる鎖を、ハルのもう片足が踏んでいる。それは、奴隷が杭につながれているさまを、怜衣の脳裏に描かせた。

（あぁ……この子に……捕らえられて、しまった……）

「言いたいこと、あるよな？　レイ」

頭の上から降る声は、心の内側から怜衣を支配する。

「――くださ、い……」

「なにを？」

「ああ、っ！　ハルのを……挿れて……」

そして、夜だけの淫蕩な逆転関係が始まったのだった。

四、夜毎、ふしだらな遊戯に溺れ

固く張り詰めたものが隘路（あいろ）をこじ開けるように侵入してくる感覚に、怜衣は甘い声をこぼす。

「あ……っぁ、ハ、ル、あ、ん！　ふかぁ……いっ」

「は、……っ。レイ。締めつけ……すぎ」

「ぁう、や、ああ……ぅ」

「力抜いて」

そんなことを言われても、立ったまま下から貫かれて、体が自由になるはずがなかった。

壁に背を押し付けられた怜衣は右足をあげ、ハルの剛直を深々と咥（くわ）え込まされている。

「んな……あぅ……おおき……」

「慣れてよ、そろそろ」

ハルは笑いを含みながら、大きく腰を動かした。

「あ……っ、は！」

空であることを切なく訴え続けていた花祠が、ハルのもので満たされ、目の前が真っ白になるほどの快感が体を駆け抜けていく。

初めてハルに抱かれてから一週間。クルーズは韓国、上海などを経由してやがて香港に到着しようとしていたが、その間一日と空けることなく彼は怜衣の部屋に通ってきていた。

ゴム越しでもわかる滾りが内壁をこするたび、たまらずに腰を振ってしまう。

「うう――っ……はっ、ああっ、そこ、や、やだぁあ………」

「ハイハイ、気持ちいい、でしょ?」

「い……いい……うぅーっ……ふかァ、い」

「もっと深く入れてあげる」

立っている感覚はなく、ほとんど体重を壁に預けていた怜衣だが、もう片方の足を抱え上げられるので、慌ててハルを抱き締め、彼の肩に顔を埋める。

「……っ! っ! っ! っ、あああっ」

持ち上げられ、自分の体重でより深く楔を呑み込まされた怜衣は、ハルにしがみついてただ喘ぐことしかできなくなった。

「そんなに嬉しい?」

「ああぁっ」

「だらしない、女王様……乱れすぎ。かわいい」

「……ル……ハルっ……あ! っあっ」

ぐずぐずと蕩(とろ)けきった壁の内側を激しく穿たれ、大きな愉悦の波が襲いかかる。

挿れられてすぐだと言うのに、もう抑えがきかなかった。

「ぁあっ、あ、あ、や」

「……いくの？」

「くっ……い、ちゃう……ああああんっ」

「……しめ、すぎっ」

がくがくと勝手に腰が揺れ、一息に高みに引き上げられる。

びゅるびゅるとゴム越しに脈打つ動きが自分の絶頂の余韻と重なった。

意識が白濁していく。ハルはくたりと体の力が抜けて壁伝いにへたり込んでしまった怜衣を、抱きかかえてくれた。火照って力が入らない体を、ベッドに横たえてくれる。

「レイ……いくの早すぎるよ」

頬にそっと当てられた手の優しさに、胸がときめいた。

怜衣が目を閉じたまま呼吸を整えていると、しばらくしてハルが拗ねたように言う。

「おーい。寝ちゃうの？　俺を一人にしないでよ」

「あ、……っく……ん」

「こんな状態で、さ！」

「や、っぁあ……！」

怜衣の足の間に体を割り入れたハルは、自分も達したばかりだというのに、あっという間に固さを取り戻したものを押し当てた。とろんとした愛液が潤滑油代わりになって、それはずぶずぶと怜衣の中に呑み込まれていく。

「んん――っ、あ――」

「起きてっ、たら」

ハルは快楽の瞬間を引き延ばすように、ぎりぎりまで引き抜き、最奥に近いところまで潜らせる、を繰り返した。ぐちゅり、と押し広げられる感覚と、ごりごりこすられる感覚、ぬるぬると入り口をいたぶられる感覚が混ざって、怜衣の声には高低差がつく。

「ひ――、い、や……」

「今日は何回天国に昇るのかな。もうちょっと我慢を覚えた方がいいんじゃない？　社会人として」

「ぁあ――ふぁ、ん、あ……」

シーツを摑んで耐えていた怜衣が、薄目を開けた瞬間、ハルの手がシーツに転がっていたものに無造作に伸びる。ローターだ。それを使ってハルがどんなひどいことをするか、一週間かけて体に教え込まされていた怜衣は、涙声で抗議した。

「まっ、待って、いや……っ！」

「シイッ。そんなに隣の部屋のやつに声聞かせたいの？」

ハルは怜衣を数秒だけ現実に引き戻して、冷静さを取り戻させた後、

「っ、……ぁ……ひぃ……！」

ローターのスイッチを入れ、ためらいもなく、怜衣の秘核に押し当てた。

ヴィイン、と細かく振動する小さな器具を当てながら、ハルは再び自分の腰を動かし始める。ゆっくり——ゆっくり——。

「……ぁ……や……だ……ぁあ、あ」

声を抑えようと結んだ唇が、あっという間にほどけてしまった。ぞくぞくと背中をざわつかせていた甘美な酩酊が、ゆっくりと怜衣の身体全体に広がっていく。肉芽を襲う振動は、間断ない愉悦を怜衣にもたらし、きゅうきゅうと喘ぐようにひくつきだした肉壁を、ハルのものが煽るように撫で上げる。

「あ……いや、こ、れ、いやぁ……ぁあぁ、ハル……おかし、く、なる……ぅ、あ」

「我慢の訓練な。十五分、これに耐えられたら、今日は許してあげる」

「なにを、いっ……あっ、や——ぁ」

「昼、厳しくしごいてもらってるから、これくらいお返ししないと。な？」

夜はまだ始まったばかりだった。

ちゃぷちゃぷと水の音が、耳のすぐ傍でしていた。辺りには湯気が立ち込めている。フローラル系の香りの白濁した湯に、怜衣は肩の辺りまでつかっていた。

（あったか……い……。いつの間に……）

疲れ切った体に適温の風呂は極楽のようだったが、突然、背中側から伸びた手が怜衣の太腿の後ろを撫でる。

「……やっ」

「起きないと溺れちゃうよ？」

「ハル……」

怜衣は壁ではなく、ハルの体に体重を預けていたようだった。

気付いて体を起こそうとするが、力が入らない。どうしてこんなに体中が軋むようなのか、思い出そうとしていると、ハルが怜衣の背中に頬ずりしながら言った。

「きれいに取れたよ、体に落としたロウ。痕にもなってない」

怜衣は力の入らない目で背後のハルを睨む。

「この……、あんなに、無理って、言ったでしょう……！」

「気持ちいいばかりだと声が出すぎちゃうから、たまには別の刺激も必要だろ」

「………………」

「でも、かえって楽しんだのかもね、レイ、マゾだから」

「信じられない」

楽しんだなんてとんでもなかった。火のついたろうそくから直にロウを落とされるのが、どれだけ怖いものか、わからないなら思い知らせてやりたい。

（調子に乗って……っ……）

ろうそくはSMプレイ専用の、熱くなりすぎない商品だったたし、怯えるほどの熱も痛みもなかったのだが、怜衣は恐怖のあまり随分取り乱してしまった。

その屈辱を思うと、怒りすら湧いてくる。

「今度はもっと、イイところに垂らしてあげようか」

「冗談じゃないわ……」

このままでは彼を助長させる一方だ、と、怜衣は精一杯冷淡な声を作って告げた。

……が、後の祭りかもしれないという、自覚はある。

「没収、廃棄よ、あんなの。船内は火気厳禁、ルール違反を報告すればペナルティよ」

「へえ。じゃあ上司として、上に報告すれば？　部下にこんなもので責められて、感じすぎて困ったので取り上げました……って」

案の定、ハルは余裕しゃくしゃくの態度だ。腹が立つ。

「ば……かじゃないの……」

「あんな乱れ方するボスが見られるんなら、バカで結構」

かぷ、と怜衣の耳のふちを噛んで、ハルは囁いた。指で甘く痺れたままの腰を撫でる。

「んっ……っ、だめ、こんなとこで……」

「レイは禁止ばっかり。ちゃんと俺、バカなりに言うこと聞いてるじゃん。昼は真面目にオシゴトしてるし、俺たちのこと、誰にも内緒にしてるし」

「……そんなの、当たり前……」

「そ？　うちの会社、別にうるさくないじゃん」

確かに、『ディアマント』を所有する海運会社コンパニ・デュ・プラティヌの社風として、特に社内恋愛を禁止してはいない。

社内で結ばれ、結婚した社員もいることにはいるが、それは、二人の関係が上司に胸を張って報告できる、きちんとしたものであることが前提だ。

（道具まで使って、ただれた……体だけの関係なんて。誰かに言えるわけがない……）

上司や部下に顔向けができなくなるようなことはしたくないと思う。

そのわりに、ハルを拒絶できない自分がすべて悪いのだと、わかってはいるのだが……彼に勝てないのだから、仕方なかった。

「上司と部下だと示しがつかないじゃない……ひいきがあるんじゃないかとか……」

「そう？　そういう人じゃないじゃん。ボス。公私混合、嫌いでしょ」

「実際がどうかじゃなくて……ん……人は……印象で、判断するのっ……」

「そんなの日本人だけじゃないの？　キャプテンに訊いてみる？」

「ばかっ……」

真面目な話をしているにもかかわらず、ハルの手は後ろから怜衣の腰をなぞり、敏感なところの近くを、さりげなく行き過ぎる。

逃れようとするたび、ちゃぷっ、と湯船が重たい音を立てた。

「あ、この入浴剤、トモダチからもらったんだ。とろとろしてるでしょ。眉唾だけど、女の人がその気になる成分入りなんだって」

「え……ちょっ」

「せっかくだし、効果試してみる？　レイ、膝立ちになって」

「ん……ゃぁ……」

ハルに背中を押され、怜衣は言われた通りにバスタブに膝立ちになる。

湯につかっている時はあまり感じなかったが、水面から体を起こす時、コラーゲン入り化粧水を思わせるとろみが湯に含まれているのに気付いた。

背中を這うハルの手がするするとなめらかに滑る。前に回った手が、マッサージのように胸全体を愛撫すると、びくびくと怜衣は体を震わせた。

「んっ」

「どう？　いっぱいマッサージして欲しい、よね？」

言外に命令の響きを感じさせる声で、ハルが囁く。すっかりその声にしつけられたのか、条件反射のようにぞくん、と、怜衣の体の芯が震えた。

「……ぁっ、う……」

「レイ？」

「は、い——。もっと、……ぁ、もっとして……」

「よくできました」

バスタブのふちを握って、怜衣は再び、快楽の海へと身を投げ出す。

幼子をあやすようなハルの声が、少しずつ遠くなっていった。

（た……体力がもたないわ……）

従業員食堂のメニューを見ながら、無意識のうちに怜衣は腰に手を当てていた。

仕事をしている最中は注意力がすべてそちらに行っているので自覚がなかったが、気を抜くとふらついてしまいそうになる。

（なにか……スタミナのつくもの……）

普段はサンドイッチとコーヒーで済ませてしまうことが多いのだが、カツレツとサラダ、野菜ジュースを注文することにした。

席に座って食べていると、隣にビーフステーキと大盛りサラダ、トマトジュースのトレイが滑り込む。座った人物の顔を見て、怜衣は少し驚いた。

「さやか。お昼ちょうどに珍しいのね。レストランは？」

「寄港日だもの。香港は人気だから、お客様は皆下船しちゃって暇なのよ。……ん？」

突然さやかは意味深な表情で怜衣を覗き込む。

寝不足がバレただろうかと冷や冷やしていると、意外すぎる一言が飛んできた。

「ちょっと見ない間に、調子よさそうじゃない、怜衣」

「え？」

どこがだ、と突っ込みたい。なんだかんだで、昨夜も窓（ポートホール）の外が白み始めるまで、眠らせてもらえなかったのだが。

「肌を見ればコンディションは一発でわかるものよ。もしかして、いつの間にかプライベートが充実してるのかしら？　なにも聞いてないけど」

「あ、……ええと……ね……」

女友達の鋭さにびっくりしながら、怜衣は言葉を探す。好奇心たっぷりのさやかの瞳はきらきらしていて、とても本当のことなど言えそうになかった。

「なになに？」

「違うのよ。……さやかの想像しているような……そういうのじゃないの」

言っていて、だんだんやるせない気分になってくる。

「ふうん？　ワンナイトってこと？」

一夜限り、というわけではないけれど。

他人から見れば、自分たちの関係は、セックスフレンド――ということになるのだろうか。弱みを握られたことがきっかけで、毎晩抱かれてはいるけれど、恋人になると約束をしたわけではない。互いのこともよく知らない。ハルに彼女がいるのかどうかさえ。

一応、怜衣のことを「好きだ」とは言ってくるが、きっと挨拶やリップサービスのようなものだろう。本気で受け止めたら、痛い目を見そうだ。

道具を使ったセックスをするたび、――信頼関係があるSMプレイのパートナー同士ならそんなことはないのかもしれないが、怜衣は少し、罪悪感を抱いてしまう。これは、愛し合う恋人同士が行う、普通のセックスではない。それでも気持ちいいからと求めてしまう自分が、理性のない獣になってしまったような気さえしていた。

ハルの方も、あんな行為すら悦んでしまう怜衣を、淫乱な女だと心のどこかで見下げてはいないだろうか。そのうち怜衣の反応を見るのも飽きて、罵倒の言葉とともに去っていくのではないだろうか……。

（私自身だって、ああいうプレイが好きなのか、彼に流されているだけなのか、わからない……明らかにハルは手慣れてる感じがするけど……）

年下らしいかわいげは、彼には皆無だった。

「どうかしら、ね……」

無表情でサラダにフォークを突き刺す怜衣に、さやかが言う。

「ま、素敵な夜を過ごしているのなら、それはそれで、いいんじゃないかしら。結婚相手と恋愛相手は違うし」

（結婚、ねえ……）

とてもそんなことまで考えられない、と言えば、年齢の話をされるのがわかっていたので、怜衣は黙っていた。

ハルと付き合いたいのか、どうか。それすら怜衣は、よくわからないのに。

「刺激は大事よ。怜衣ったら、同性の私ですら、隣に座っててくらくらしちゃうくらい、色気出ちゃってる。……肌の透明感もそうだけど、幸せそう」

「そう……？　私にはわからないけれど」

今の状況を、幸せと言えるだろうか？

「普段が『女王様』な分、一瞬のぞく隙が、ギャップで色っぽく見えるのかもね。とにかく、いい感じよ」

「ふうん……？」

隙というより、疲労の蓄積と思い悩みのせいでぼうっとしているだけだと思うのだが。

さやかの言うことは感覚的すぎて、時々よくわからない。ノリで言っているところもあるように思う。

結局、他人のことなど、よくわからないものだ。

怜衣が疑問符を浮かべながらボリュームたっぷりのカツレツと格闘している間に、さやかは同じ位の大きさのステーキをきれいに胃の中に片付けて、先に席を立つ。

「じゃ、お先～」

怜衣は彼女の後ろ姿を見ながら、言われたことを反芻し、うーん、と首を捻った。


「こっちの口金の広い方でクリームを絞り出す。カーブをゆるやかに、できるだけ細かく。……ほら、これでカーネーションの花の形になるでしょう」

「……へえ」

「やってみて」

クリームの絞り袋を持ったハルは、練習用のスポンジの上に、見本とほぼ同じものを作った。

「初めてにしては上出来ね」

「……別に褒められるほどじゃない」

ハルは無愛想を装っていたが、口の端がほころんでいるのを見つけてしまって、怜衣はついかわいいな、と思ってしまった。

怜衣の作業場で働く彼を見ていて思う。確かにミシェルから報告を受けた通り、時間にはルーズだ。口も悪いし、きつめに注意するとその倍以上に不快な言葉を返すようなところも、確かにある。

しかし、製菓に関しては、ハルはなかなか筋がいいと言わざるを得ない。

もちろんデコレーションなどは、根気強く練習を重ねれば、誰でもいずれできるようになるものだ。必ずしも呑み込みの早さは必須ではないが――ハルは怜衣の見てきたパティシエ見習いの中でも、かなり優秀な方だった。

包丁の扱いもきれいなので、訊いてみれば、調理の仕事にも短期間だが従事したことがあるという。そちらはすぐにやめてしまったらしいが、その後製菓に来るということは、飲食の世界を諦めきれなかったという証ではないだろうか。

(伸ばしてあげたい……このままじゃもったいないわ、この子)

大部屋で働くスタッフたちにさりげなく最近のハルについて訊き回ってみたが、真面目になった、ミシェルとやりあっていつもイライラしているようなところがなくなったので話しやすくなった、といくらかプラスの評価に転じているようだ。

このまま、いいパティシエに育ててあげられたら、と思いながらも、ここ数日というもの、怜衣の中で葛藤が絶えない。

（これは、ひいきなんかじゃない、はずよ、多分……）

パティシエ見習いとして期待している気持ちと、異性として意識してしまう気持ち、それらを混ぜてしまうことは、怜衣の中で禁止事項だった。

それをやってしまったら、管理職としての信頼を失ってしまうだろう。

「ついでに応用で、スミレ模様の作り方も教えておくわね……」

練習をさせる際、ハルの手の上に自分の手を重ねて動かし方を教えることもあるけれど、業務上の接触で頬を染めたりすることは絶対にない。

しかし、分厚い氷のような理性の下に抑え込んだ高揚を、怜衣だけは知っていた。

夜になるとそれが解放される。だから癖になってしまうのか……。

「他の花も、こんなふうにクリームで再現が可能よ。後は、普段の観察力がものを言うわね。ともかく、この方法で頼まれものはクリアできるわ」

「カーネーションを模した特注のバースデーケーキねえ……。アジアンレストランからの依頼だっけ？　自分たちでできないもん、勝手に引き受けんなっつうの」

「まあ、そう言わないの」

「船の上じゃ生花も手に入らないし、ボスがいなかったら、あいつらどうする気だったんだ？」

「製菓部門でなんとかできることだったから、よかったじゃない」

「……優しいじゃん。女王様。あ、貸し作って後で回収する気？」

そういう期待も、まるでないわけではないが、単純に、部署間で助け合う職場というのは、怜衣の理想に近いのだ。同じ会社の中でなわばり争いをするより、助け助けられの関係の方がずっと居心地がいい。

けれど、ハルのような欧米人には、そういうベタベタした理想もうっとうしく感じるものなのかもしれなかった。

怜衣は腕を組んで笑みを浮かべる。

「計算高い上司だって言いたいんでしょう。なんと言われようが構わないわ」

自分の表情や声音が相手に高飛車な印象を与えてしまうことを、怜衣はよく理解している。その印象を、利用もしてきている。外見だけのことで人になんと言われようと、今更少女時代のように傷ついたりはしない。なのに。

「そうやって無理やり笑うんだ。かわいい人」

むに、と怜衣の頰をつまんで、ハルはまるで歳の離れた姉を叱る生意気な弟のように、真顔で言うのだ。

怜衣は驚いて、目をしばたたかせた後、声を荒げた。

「なっ、なっ、なにをするの……」

「もっと肩の力抜けばいいのにさ」

「その手で絞り袋持たないで！　手洗いなさい。もう、不衛生でしょう、っていうかあなた、職場でこんな……！」

　怜衣は、職場でこんなことをするなんてルール違反だ、と叱り飛ばそうとしたのだが、せっかちなノックにさえぎられてしまった。

「あ、はい。どうぞ」

　音の激しさから、部署内のスタッフではないと直感した怜衣は、足早にドアに近づく。出迎えを待たず、にゅっと窮屈そうにドアから顔を出したのは、プロレスラーのような体格の、コック服の男だった。強面の顔を厳めしげにしかめている。

「ハルいるか」

「スー・シェフ……」

　船内のフレンチレストランのナンバー2だ。さやかの上司でもある。

（――ハルと、犬猿の仲だって）

　以前、友人から聞いた話を思い出し、怜衣は青褪めた。慌ててフォローしようとするも、スー・シェフは止める間もなく、激昂（げきこう）した口調でハルに詰め寄る。

「おいハル！　てめえどういうつもりだよ！」

「なーにがー？」

　平均的な身長、体重のハルが少年に見えるくらい、両者の体格差は歴然としている。

　それなのにハルはにやにや笑いながら、挑発的な声で返事するのだ。

怜衣ははらはらしながら二人の様子を見守った。

「なにが、じゃねえ。スカした面しやがって。お前のふざけた提案な！　シェフが勝手に採用しちまったんだよ！」

「お。どうだった？」

「どうだったじゃねーよ！」

スー・シェフはこん棒のような腕を振りかぶり、ハルの背中を叩く。バシッ、という音に、一瞬、怜衣は目をつぶった。

「ディナータイムの客が落ち着いた頃、御大の席に呼ばれてよ。めちゃくちゃ褒められたんだよ！　あの御大にだ！　お前、ぶっ殺してやる！」

（御大って、乗船中のレストラン協会のお偉いさん……）

ハルがなにをしたのかわからないが、この怒りようは尋常じゃない、と怜衣は焦って前に出る。

「スー・シェフ！　部下の失礼は私の監督不行き届き……え？」

……褒められた……、と、言ったのだろうか？

早口な上、まくしたてるような口調でよく聞こえなかったのだが。

ハルは背中を叩かれて顔をしかめながらも、ふてぶてしげに笑ってみせる。

「そうなの？　よかったじゃん。つーか、痛えし」

「うっせえクソガキ」

「クソガキって、ひっどいなあ」

スー・シェフは喧嘩腰(けんかごし)の乱暴な仕草でハルの肩を摑んだ。そしていきなり、声を落とす。

「……コースの順番を、真っ先に褒められた。味もだが、オードヴルより先にスープを出す、その挑戦的な姿勢がまず胸に響いた、って。……お前が口出ししたことだ。お前の手柄だ」

「べっつにー。あのコースならそっちの順番の方が、オレンジトマトスープの印象が際立つと思っただけ。あの味を出したのはあんただろ。あれは、マジでうまかったから」

「くそ、俺は今だってありえねえと思ってんだ！　フレンチでコースの順番を変えるなんざ……、ちくしょう、伝統をなんだと思ってやがる」

「崩したもん勝ち！」

「……信じられん！」

どうやら思っていたような、ギスギスした関係ではなく、ただじゃれ合っているようだった。なんとなく部外者が口を挟みがたい雰囲気なので、手持ち無沙汰な怜衣はさりげなくデスクに近づき、もうすぐ出す予定のシフトを見ている。

「御大に気に入られたんなら、レストランの宣伝になるんじゃゃね。いつか独立するなら、力になってくれそうだし」

「っ、くそ、だから礼を言いに来たんじゃねーか！　むかつくやつ！　用は済んだ、じゃあな」

「えー。ちゃんと心を込めたお礼の言葉、聞かせてくれないと」

「うるせえ！」

来た時と同じように、怒鳴りながら慌ただしく出て行こうとしたスー・シェフは、怜衣のデスクの前でぴたりと止まる。

「くそ生意気な部下だな。苦労するだろう」

「……すみません」

「いらなくなったらフレンチにくれ」

思わず謝ってしまった怜衣に、スー・シェフは捨て台詞を残して去っていく。

「へっ。頼まれたって行かねーよ」

見送っていた怜衣の背後から、ぼそりと響いた声は、なんとも小憎らしい。

「ハル……。スー・シェフと仲がいいのね。知らなかったわ」

「よくないよ」

「アドバイスしたんじゃないの？」

怜衣が首を傾げると、ハルはげらげらと笑って近づいてくる。

「違う違う。あいつ怒ると顔がトマトみたいになんの。面白くて、行くたびからかってたら……そっかあ、逆効果だったかー。パンクなお偉いさんもいたもんだ」

「……あきれた」

見直したと思った瞬間、これだ。スー・シェフに同情してしまう。

それとも照れ隠しなのだろうか。いまひとつ彼の本心が摑めない。

「なに見てんの？　シフト表？　あれ、珍しくボスが休み取ろうとしてる」

「ええ……スリランカ寄港の日にね」

「……俺も合わせようかな」

「え？」

唐突になにを言うのか、と面食らう怜衣に、ハルは勝手な妄想を披露し始める。

「スリランカか、結構きれいだよね、あそこのビーチ。ボスの水着どんなのかなー？　セクシーなデザインの、黒のビキニとか」

「持ってないわよ」

「はあ？」

「そもそも持って来てない。水着なんて」

「豪華客船で仕事するのに？　プールも使ったことないってこと？　正気？」

「必要ないもの。スリランカは紅茶の名産地だから、茶園見学ツアーに参加するつもり。せっかく世界中を回れるんだから、こういう機会に、勉強しないと」

「……仕事かよ……」

珍しくハルが絶句しているのを尻目に、怜衣は話を進めた。

「ハル、今回はまだ申請出してないのね。……二人同時に休みを取るのは、この作業室が無人になってしまうから、ちょっと避けたいけれど……どうする？」

訊きながら、かすかな期待に浮き足立ってしまう。

（それでも一緒に海に行きたいって言われたらどうしよう。……誰かに見られるとまずいし、大部屋の皆にも仲を怪しまれそうだし、困るのだけれど……）

困ると言いながらも、美しい海辺で、ハルと二人、笑い合って過ごす休日を想像した怜衣は、一瞬、胸が弾んでしまっている。しかし、いつもわがままを言って怜衣を困らせるハルは、今回はあっさりと引き下がった。

「避けたいの？　じゃあやめとこうかな。茶園だしなー」

「……あ、そう」

「適当に休み入れといて。任せる」

そう言って、ハルはバースデーケーキの元へ踵を返す。

怜衣も自分の作業に戻ったものの、しばらく心の中を占拠するもやもやとした気持ちの正体について、考え続けてしまった。

（……安心したわ。別に、残念だなんて、思ってないんだから。だって……つまり、デートが目的じゃなくて、私の水着姿目当てだってことでしょう。エッチなこと以外、興味ないと。それなら、それで構わないわ。割り切った関係で……。私だって子供じゃないんだから……）

強がって、逃げて――自分を、守る。本当は、ちくちくとした胸の痛みが、なにかを伝えたがっているとわかっていたはずなのに。

仕事に没頭することで本心をないがしろにしがちな自分に、この時の怜衣はまだ気付かないでいた。

＊＊＊＊＊＊

「せっかく世界中を回れるんだから、こういう機会に、勉強しないと」

そう言うと、怜衣はシフト表に視線を落とした。

睫毛長いな、と、ハルはまったく関係ないことを考えている。

長いコック帽の下にきっちりとまとめられた美しい髪。きめ細かな肌。怜悧な横顔。

理知的な黒い瞳はミステリアスで、なにを考えているのか相手になかなか摑ませないが、よく観察すれば、そこに豊かな感情が湛えられていることがわかる。

整った美貌のせいで、近づきがたいオーラを放つ、ハルにとっての上司にあたる彼女が。

（実のところ、かなり、かわいい人）

彼女の一番愛らしい——とハルが思っている、その姿を思い浮かべると、締まりのない顔になってしまう。

まあ、そこは、天性のポーカーフェイスで上手に隠せてしまうわけだけれど。

この自信たっぷりの性格が厭味だと言われたことは、何度もある。

本人はまったく気にしてはいないのだが。

「ハル、今回はまだ申請出してないのね。……二人同時に休みを取るのは、この作業室が無人になってしまうから、ちょっと避けたいけれど……どうする？」

「避けたいの？　じゃあやめとこうかな。茶園だしなー」

「……あ、そう」

反射的に答えてから、彼女の纏う空気が少し尖ったような気がして、ハルは怜衣には見えないように舌を出す。

（しくじったかな）

茶園見学はクルーズ主催の観光ツアーの一環だ。船客が多く参加する。

二人きりのデートならともかく、邪魔者が多すぎた。

どうせ、客の前だと彼女はバカみたいに厚い心の壁を作って、付け込む隙のないクールな女王様を気取ってしまうのだから。

（人前でプライドを突き崩すのは楽しそうだけど……怒るだろうな。本気で怒らせたら、怖い、なんて、俺に思わせるんだから、この人はすごいよなあ）

好きな子ほどいじめてしまいたくなる傾向は否定できないが、一時の楽しみに溺れて失ってしまうには、彼女はもったいない人だ、と思う。

仕事中はクレバーでタフなくせに、プライベートになると途端に臆病になって、そのくせすぐに快楽に溺れてしまう。

これだけアンバランスで興味を掻き立てられる女性と、ハルは出会ったことがなかった。

船長の紹介でコンパニ・デュ・プラティヌに入社し、製菓部門に配属されて約ひと月半。自分用の作業室を持っているシェフ・パティシエール、レイ・ミシマは、見習いの身分では話しかけるのも難しい、手の届かない存在だった。

セカンド・パティシエールのミシェルが指揮を執る厨房に現れはするものの、滅多に見習い一人ひとりに話しかけてくることはない。

時々その横顔を盗み見て、話しかける口実を思案して。

けれどなかなか隙も見つけられず、『皆』に公平に与えられる「おはよう」と「お疲れ様」の挨拶だけを受け取る日々。

しばらくはおとなしくしていたものの、我慢の限界だった。

(冗談じゃない。こっちはあんた目当てで、わざわざここに来たっていうのにさ)

元々欲しいものは手に入れなければ気が済まない性格である。

あの日、見覚えのある手帳をバーで拾い、部屋を訪ねてみれば、憧れの人が鍵もかけずに無防備に眠っていた。しかもその枕元には『資料』があって、彼女の夜の趣味まで教えてくれている。天の配剤としか思えなかった。

『資料』のおかげで、多分、彼女の方は、こちらが初心者だと気付いていない。適性は感じるものの、ハルは本来の意味での加虐性欲（サディズム）の持ち主ではなかった。

好きな女性の肉体を、虐待したいという思考回路はない。

彼が行うのは、いわば、行為に添えるちょっとしたスパイスだ。

（まあ、レイがこれで満足してるかどうかは、色々試してみないとわからないけど……）

ＳＭを究めたいようなら、まだ半端かもしれない。

たとえば味覚でも、辛いもの好きと一口に言っても、好む香辛料の量や種類には個人差がある。そんなふうに、嗜好を知るのはなかなか難しいのだ。

反応を見る限り、今のところは期待に添えていると思うのだが。

（あの人、素直じゃないからな。もうちょっと前向きに楽しめばいいのに）

彼女はいつも、上司と部下としての規律だとか、自分が年上なのにみっともないだとか、ハルからしてみればどうでもいいことばかり気にしている。

他人を容易に、自分の内側に侵入させまいとする。それは、精神的な脆さの表れだ。

彼女のそれが、外国で、しかも女性の身で職人の世界に足を踏み入れ、問題を起こさずにやっていくために身に着けた処世術だとわかってはいる。

わかってはいるのだが、どうにもこうにも歯痒い。

どうしようもなく好みのタイプなだけに、余計になんとかしたくなる。

思っているだけで行動に移さないのは、ハルの性に合わない。

カーネーションケーキが無事アジアンレストランでのバースデーディナーのテーブルを飾った日の晩。

ハルは今夜も、怜衣の部屋の前にいる。

初めて結ばれた日に、彼女に命じ、紛失したふりをして作らせたので、部屋の合鍵は持っていた。

鍵を開ける前に、ノックはする。怜衣の心の準備のため、という建前ではあるが、本心は違った。心理的に怜衣のことを支配する――主導権がハルにあることを、意識させるための手段だ。

ノックをしたが、中から返事はなかった。

自分から鍵を開けるようになってくれれば言うことなしなのだが、彼女の羞恥心を少しずつ溶かしていくまどろっこしさも、ハルは充分に楽しんでいた。

鍵を開け、ドアを開ける。

ベッドに座っていた怜衣は、今日はなにをされるのか、と期待と怯えの入り交じった表情でハルを見上げた。

その顔を見るだけで、唾がわきあがる。今すぐ押し倒して、突っ込みたい。が、そんな素振りは僅かたりとも見せない。ハルは、欲しいものはなんとしても手に入れる性分、ではあるものの、好きなものは最後に食べる性格でもあった。

ドアを閉め、かちゃりと鍵をかける。さあ、今日はどうしようか、レイ。

頭の中で色々考えを巡らせていると、訝しんだように怜衣が首を傾げる。

「あ、あの……？」

「脱いでよ」

ほんと、きれいな人だなぁ、と思っているうちに、するりと言葉が口から出ていた。

「え……。あの、脱ぐ……って」

「立って。俺の目の前で、全部脱いで」

ゆっくりと黒い瞳が見開かれる。

「恥ずかしいの？　ＳＭ漫画読んでることが皆にバレるのと、どっちが？」

怜衣の頬にカッと朱がのぼった。眉根を寄せ、抗議するようなまなざしをハルに送ってくるが、やがて怒りの炎が瞳から消えていく。彼女の内心の変化を想像すると、今夜もかわいがってあげたいなあ、と愛情が溢れてきた。

同情を求めるようなか細い声で、怜衣は囁く。

「電気……」

「消していいわけないだろ？　レイの裸、おっぱいもお尻も、くびれも、アンダーヘアも、全部見せて」

「……っ！」

わざと直接的な単語を投げかけると、怜衣の表情がめまぐるしく変化する。

俯いた怜衣は、数度まばたきしてから、覚悟を決めた顔になった。

（そうそう、いい調子）

キャラメルにひとつまみ加えた塩が甘さを引き立たせるように、羞恥心が、ゆっくりと体の中で溶けて、やがて気持ちよさに変わることを、一週間以上かけて彼女に教えてきたつもりだった。

ひどいことなんてしない。できない。するのは、彼女の悦ぶことだけ、だ。

「言うこと聞かないとだんだんハードルがあがっていくって、知ってて、レイ、待ってるの？　……自分の手でナカまで拡げるよう、命令してあげようか？」

言葉で背中を押してやると、怜衣はきゅっと唇を嚙んだ。悔しそうな顔にも見えるが、瞳は興奮で潤んでいる。

彼女は唐突にも見えるタイミングで立ち上がると、チュニックをめくって頭から抜き取った。さっとたたんでベッドの上に置くと、今度は臍の前のボタンを外して、レギンスパンツを足から抜く。

ちょうどよい肉付きの美しい脚だ、とハルは心の中で褒め称えた。すらりとしたラインも、ふくらはぎの形も、足首の締まりも、何度見てもすばらしい。立ち仕事のせいで少しむくんではいるものの、不健康そうに浮かぶ青い血管も、また色っぽくて魅力的に映る。

怜衣はワインレッドのブラジャーとショーツだけの姿になって、怒ったような顔でハルを見返していた。

こんなこと、たいした恥辱じゃない。と、その表情は言っているようだった。

ハルの目にはそれが虚勢としか映らない。

どうせ自分にすがり付くことになるのに、と思うと、この先が楽しみで仕方なかった。

「全部って言ったんだけど」

「………………」

　怜衣は前に手を持ってくると、フロントホックを外した。

　そこまではまだ、目に強さがあったのだが、数秒の逡巡の後、カップを胸から外した瞬間、いきなり心許なさそうに視線をさまよわせ始める。置き所のない視線を中空に泳がせると、怜衣はブラジャーを、たたんだ服の下に隠すように置いた。

　普段人に見せることのない裸の姿を、自ら他人の目に晒すというのは、やはり相当不安なことなのだろうか。盛り上がった白い胸を手で隠すようにして、怜衣は次の行動を忘れたふりをして佇んでいる。ハルの性格がまだわかっていないのだろう。

「レーイ。さっさと下脱がないと、その恰好のままフロアを散歩させるよ」

「……っ、この、鬼畜っ」

「ワォ、女王様に褒められた」

「褒めてないわよっ……！　もうっ……脱げば……いいんでしょうがっ」

　なにに火がついたのか、怜衣は思い切りよく、唯一体に残された布地に手をかける。

（ほんと、この人、素質あるよなぁ……）

　そのケはないだとか、本当は経験が少ないだとか口にするのは、ただの照れ隠しなのだろう。

　怜衣は意を決した様子で、しかし最後の羞恥心と闘うように何度もまばたきをしなが

ら、一息に下着を引き下げた。一糸纏わぬ姿で、もうなんの役目も果たさない小さな布地を急いで拾い上げて隠すと、

「それで？　次はどうしたら、いいのっ……」

強い語気に反して、瞳の表情はいじめられた小動物のように弱々しく、ハルはしばしそのかわいらしさに見惚れた。

厨房では絶対に見られない、雑誌に載っているレイ・ミシマからは想像もつかない――いわば、ハルが引き出した、特別な顔だ。

その事実に、満たされる心がある。それは、虚栄心に似た自己満足かもしれないが。

自己満足で、なにが悪い。とも思う。

「ハル……。黙ってないでなんとか……！」

「そんな焦(あせ)んないで。ゆっくり観察させてよ。俺、レイの裸好き」

「……っかじゃないの……そんな好き、なんて……」

「きれいなライン。めちゃくちゃそそられる。何人の男を夢中にさせてきたのか、考えると気が狂いそうになる」

「…………」

「見るのも好きだけど、触るのも好き。レイの肌、すべすべで、張りがあって、うっとりする。ねえ、こっち来て。触らせて」

手持ち無沙汰な状態の方が辛かったのだろう。怜衣は迷いながらも、ドアの前に立つハ

ルに近づいてくる。

「だいぶ素直になったね。脱いだら触って欲しいもんね？　……レイ、えろい。命令されたら、誰にでもこんなカッコで、触って欲しいって近寄っていくんだ？」

「ちが……」

言葉遊びの中に含ませた毒に自分でやられたのか、ハルの中に湧き起こって来たのは強烈な嫉妬心だ。

自分の前でだけかわいく変わって欲しい。こんな怜衣は誰にも見せたくない。どこかに閉じ込めて、自分だけのものにしてしまいたい。

しかし、実際それはかなわない。彼女は気鋭のパティシエールだ。経験の浅いハルにすら、そのすごさはわかる。

彼女は手にかかる重みだけで生クリームの固さをはかり、舌に落とした一滴だけで機械のように正確に、糖度をはかる。なにもかもが何気ない一瞬の作業なので、つい見逃してしまいがちだが、近くで見ていると思い知らされずにはいられない。ひとつひとつの工程の背景に、どれだけの試行錯誤が滲んでいるのか。それでも現状に満足せずに、日々、どれほど工夫を重ね続けているのか。

そうしてできあがるケーキは、見た目の美しさを裏切らない複雑な甘さと驚きに満ちていて、これまで食べてきたスイーツとは一線を画した、職人仕事への敬意を喚起させずにはおかない一品になるのだ。

彼女の努力と才能は、相応の尊敬を向けられてしかるべきものだ。衝動的にぐちゃぐちゃに傷つけて、自分だけの宝物にしてしまいたくても、ハルの理性の部分が、それはだめだろうと冷静に突っ込んでくる。

彼女は成功をおさめるべき女性だ。

多くの人が彼女のケーキを食べたがっている。レイ・ミシマの存在は確実に豪華客船『ディアマント』のブランド価値を高めていた。部下も皆、彼女を慕っている。

彼女のすべてを手に入れることはできない——それが、余計に、ハルの焦りと執着を呼び覚ます。

「なにが違うの？　空気に触れただけで、胸の先っぽが尖ってきてるんだけど。……随分呑み込みが早いけど、一体今まで何人『ご主人様』を持ってきたんだろうね……」

「なんでそういうことばっかり……誰もいないって、言ってるじゃない……」

「信じられないね」

「っ、！」

目の前に立つ無防備な体を引き寄せる。胸を摑んで親指と人差し指で乳首を摘みながら、薄い肩口にかじり付いた。

じりじりと灼き付くような感情のせいか、甘嚙みしようとするのに、つい力が入ってしまう。いたい、と掠れた声が聞こえて、二回目は力を弱めた。

怜衣の皮膚の感触を楽しみながら、欲望というものは、案外人も獣も変わらないものだ、とハルは思う。

（エッチしているうちに、相手をかわいいかわいいと思いすぎて、雌を嚙み殺してしまうのって、なんの動物だったっけ……）

しかしハルは人間だから、ある程度獣性に理性の蓋をしなければならない。そのバランスを取るのが、まあ、楽しいのだが。

怜衣は自分で理性の蓋を外せないタイプだ。思い切りハメを外すことで、ようやく普段と違う自分になって、快楽を感じられるようになるのだろう。

「……っや、ハル……痕ついちゃう……」

「だって、レイ、淫乱だから。俺の印つけておきたい。他の男が手を出さないように」

「そんな……」

思いあまって怜衣の薄く柔らかな肌を食い破らないよう、ハルは歯を立てるのを止めて、首元に強く吸い付いた。

人目につく場所に痕を残すことを彼女は嫌がるが、コックコートは首が詰まっているし、製菓部門ではその上にスカーフを巻くのだから、ここならいいだろう。

そう思い、首筋に沿って、赤い花を咲かせていく。

「過去は知らないけど、今は俺の玩具だ。その、印」

「……っ、ん……子供っぽい対抗心、だわ……」

「そんなこと言っていいんだ？」

「っぁっ！」

二十代後半の彼女から見たら、二十歳の自分は子供っぽいだろう。わかっているからこそ、言われたくなかった。

怜衣の太腿の上を撫で、手を足の間に割り込ませる。湿地帯をかき分けていると、濡れた音が聞こえ始めた。

まだ少ししかいじめてないのに、道具も出してないのに、期待だけで濡らして。

ほんと、淫らな女。かわいい、自分の玩具。

——少なくとも、夜の間だけは。ハルが彼女の主人だ。

「ガキの俺の言うこと聞くのが、好きなんだろ」

「ちが、あ……っ……まっ、まって……」

「年下の部下にさ！　股間弄られて、気持ちいいんだろ？　足もっと広げろよ、カッコつけてないでさあ」

「いや……っ、ハル、もっ、やさしく……ぁっ」

乳首を指先でくすぐりながら、空いた片方の胸を口に含むと、中に差し込んだ指にきゅん、と媚肉が絡み付く。深く浅く抜き挿しをしながら、胸への愛撫を続けると、怜衣の声が一段高くなった。

「ぁ——っ！　ん、やっ、やっ、一緒は、や……」

感じているようなので、一度指を抜き、人差し指と中指を鉤状にして入れ直す。少し窮屈だったが、中でぐりっと指を回すと、怜衣は背中をピンと突っ張らせて悦んだ。

のけぞってもらえると、胸の先がとてもいじめやすい。甘く歯でしごいた後、キスのようにちゅるりと舌を絡める。片側も忘れず、指で引っ張り、潰してやる。

「……あぁっ！　ひゃ……っ！　ああ…んっ！　うぁぁ…っ！　だめぇっ！　そこっ……ああぁんっ」

「危な……っ」

危険を感じてナカから指を抜き、崩れ落ちる体を間一髪のところで支えた。

腕の中で震える怜衣の呼吸は荒い。弱った小鳥みたいで、保護欲に胸がきゅんとする。

「もう……しょうがないな。ベッド、連れてってあげる」

ハルは怜衣に少し体勢を変えさせ、膝裏を持って抱え上げた。壊れやすいスポンジケーキをトングで運ぶ時のように、彼女の体を丁寧にベッドの上に横たえる。

白いシーツの上で、ハルに触れられるのを待つだけの、とびきりのスイーツに。

最後の仕上げをして美味しく味わうべく、ハルはベッドに乗り上げた。

怜衣がシロップをひたひたに湛えて、食べ頃の体になる頃には、夜もすっかり深まっていた。押したところから水分が滲みそうなくらい、彼女はぐずぐずに蕩けている。

「レーイ。ちゃんと腰あげて」

「……あ、……ぅん……」

『味見』がすぎたようで、彼女は枕に顔を突っ伏して半ば自失していた。

何度か射精したにもかかわらず、ハルのペニスは、怜衣の甘い声を舐めるたびに息を吹き返し、腹につくほどの反りを見せる。ハルは怜衣の尻を叩き、腰をあげさせた。

四つん這いとは言うが、ほとんど彼女の上半身はシーツに沈んだままだ。無意識のように、下半身だけがハルの声に従う。

怜衣の足の付け根は、双方の体液で濡れ、てらてらと電灯の光を照り返していた。それを見ているだけで、ハルは渇きを覚え、唾を呑み込む。どれだけしても、満足するということがなかった。

「も……やすみたい……はぁ、うっ」

途切れ途切れに呼吸する怜衣を見ると、本当に体力の限界だとわかるし、かわいそうにも思うのに、弱ったところを見て更に劣情を煽られているあたり、自分は彼女の言った通り、まだまだ我慢のきかない子供だと思う。

せめて、ということで、ハルは妥協案を出した。

「そうだね。……レイが上手に言えたら、今日は終わりにしてあげる。さっき教えた通り……できるよね？」

甘くほどけた蜜口にペニスをあてがって告げると、返事を待たずに腰を進める。はぁん、と怜衣がこぼした喘ぎ声はほとんど吐息に変わって枕に吸い込まれた。

中はふやけたようにあたたかい。蕩けているのに、まるでしがみつくように時折強く収縮するのが愛しくて、ハルは愛情を込めて弱点を攻めた。

　怜衣は力を振り絞るように、枕元にある手を握り締めて、掠れた声で囁く。

「ハルっ、はぁっ……きもち、い……わたし、ハルにいじめられるの、すき……」

「私の×××を、が抜けてる」

「……わ……」

「私の？」

「わ……たしの×××……突いて……もっと……」

　英語でハルの教えた通り卑語を口にする怜衣。どれだけいやらしい姿なのか、わかっているのだろうか。多分わかっていないだろう。

　録音して、仕事中の彼女に聞かせてやりたくなる。きっと死にそうに恥ずかしい思いをするだろう。その姿を想像すると、楽しくて楽しくて仕方がない。

　腰の動きが、いっそう獰猛になる。

「あっ、あっ、はるの×××、深ぁ、い……こすれる、おっき……もっと、おかしっ、犯して……ひゃ、っ」

「おおせのままに、女王様」

　ぬちゃぬちゃと音を立て、子宮口を突く勢いで挿し入れながら、ハルはふっくらと勃起した愛らしいベリーに爪を立てて揉み転がした。

「ぃ——やぁ……むりぃ、ったあ……」

「痛いのがいいんだよね、レイ、マゾだから」

「い……や、いたいの、いや……ひっん！　っく、……きもち……い……！」

ひくひくと体を痙攣させる怜衣の呼吸が切羽詰まる。本当に天国にいってしまいそうだ。

（いいよ、いっちゃえよ……ッ、取り返しのつかないところまで……！）

ハルは暴力的な衝動に突き動かされるように、しゃにむに腰を振った。感極まった声で怜衣が啼く。きれぎれに響くか細い声が、ハルの下半身に集まった血液を煮立たせる。

「ふ……っ、ああ、い、またいっちゃ……ぁぁあ？　いい？　いかせて、もう、いっちゃ、うぁ……ああ……！」

がくがくと震える体から、ぎりぎりのところでハルは自身を引き抜いた。精液はほとんど出なかったが、激しい射精感に頭が真っ白になる。

落ち着いた後、いよいよ意識を落とした怜衣の隣にごろりと横になり、ハルは荒い息をつきながら満足の笑みを浮かべた。

「だぁめだよ、俺の許可なくイッちゃ……。明日、またお仕置きだね」

シーツに散らばった黒髪を一筋拾って、口づける。

五、誤解と陥落、主導権の行方は

「ご招待?」

ある日、管理職ミーティングも終わりにさしかかった頃、船長から少々変わった連絡があった。

現在、豪華客船『ディアマント』はシンガポールを目指している。

その港には既に違う会社の豪華客船が停泊しており、今夜は並んで一泊する形になるのだが、先方から、よければこちらに遊びに来ませんか……という招待があったらしい。

「業界トップのロイズ・ラインが、俺たちを夕食に招待? ライバルなのに、舐められてやしませんか」

「ねえ。どういうつもりなのかしら」

色めくゲストリレーションズやスパのマネージャーたちをよそに、船長はのんびりとした調子で続けた。

「同じ欧州の海運会社だし、あそこの社長と僕は腐れ縁なんだよ。シンガポール停泊中の『ガーランド』はロイズ・ラインの一番新しいラグジュアリー客船だし、内装にも力を入れている。見に行ける人は、ぜひ勉強させてもらいなさい」

しばらくざわざわしていたものの、管理職のまとめ役であるフレンチレストランのシェフが、よいことですね、と呟いたことで、流れが変わる。

「じゃあ各部署、営業に支障がない程度に希望者を募って、人数を十四時までに内線連絡してくださいね」

船長がそう言ってミーティングの解散を告げると、仲のいいマネージャー同士が集まって、行くかどうかを話し合い始める。親しいマネージャーもおらず、うまく輪に入ることができない怜衣は、さっと立ち上がり、ミーティング室を後にした。


（うーん。ロイズかぁ……）

客船業界の最大手。その歴史は古く、蒸汽船を用いての航路経営競争が過熱した十九世紀中頃から、イギリスのフラッグ・キャリア（政府が国を代表すると承認した定期船会社）として地位を築いてきた。伝統あるロイズ・ラインの名に、同業者としてライバル心を抱くか、あるいは憧れや敬意を抱くかは、人それぞれなのだと思う。

怜衣はそのどちらでもないのだが、はっきり言うのも気が引けるという日本人らしい理由で、率直な感想を言いかねていた。

しかしティールームのトップミーティングでその話をすると、イギリスとなにかと遺恨の深いフランス人であるミシェルは、あっさり怜衣の気持ちを代弁してしまう。

「え、行きません。興味なし！　飯マズで有名なイギリスの船のディナーなんて」

「……そうなのよねー」

　実は、フランスに住んでいた頃、一度ロイズ・ラインの客船で行われたパーティに参加したことがあるのだが、食事は残念ながら怜衣の口に合わなかった。

たまたまという可能性はあるが、同業者同士で話をすると大体同じような感想を耳にする。昔からジョークで揶揄されるが、まんざら誇張ばかりでもないのかもしれない。

「でも、アフタヌーンティーの文化はあちらが本場だから、ホールの参考にはなるかも。サービスマネージャーはどうします？」

「うーん。興味はあるんですが、今日はホールで二人欠勤があって。人員的な余裕がないですね」

　接客など、ホール関係のマネージャーを務めるブラッドが、弱った様子で眉を下げる。

いつもは四人で回しているホールを二人でフォローするのは、客の少ない寄港日といえど、大変そうだ。

「風邪でも流行り始めたんでしょうか？」

「申請では貧血だとか頭痛だとか言ってたけど、どうやら別の事情がありそうで」

「と言うと？」

「あの、厨房の見習いの、ハルが……」

「……彼がなにかしたんですか」

怜衣は、今度はなんだ、と、つい身構えてしまう。

心当たりはなくもなかった。昨日、いよいよ体力が限界だったので、業務終了時にそれを伝えてはっきりハルの来訪を断ったのだ。仮病を疑われるかと思ったが、意外とすんなり了承してくれた。本気でふらふらしていたので、さすがに見かねたのかもしれない。

それにしてもここ最近のハルは、求め方にますます熱が増して、少し怖いくらいだった。

元々人を食ったような発言が多く、どこまでが本気でどこまでが冗談かわからないようなところがあったが——最近は、いつ、なにをしでかすかわからないような、底知れない欲望を感じる。

まさかとは思うが、昨日の夜、サービスの女の子たちになにかひどいことをしたのではないかと思うと、すっと血が下がってしまいそうだった。

だが、眼鏡をかけた温厚そうなブラッドから、そんな緊迫感は伝わってこない。

「なにかしたと言いますか……。昨日の信号機パーティが原因のようですけど」

「なんですか？　それ」

「ボスはああいう騒がしいところには、行かれないでしょうねえ。いつもの、従業員バーで若い子たちが酒を飲んで喋るだけの集まりですよ。ただ、毎回同じでは飽きるようで、テーマを設けたりするんですね。コスプレ必須だとかパジャマパーティだとか。そのうちのひとつですよ。参加者は必ず、赤か黄か青の持ち物を身に着けるルールです」

「赤・黄・青……。ああ。だから信号機なのね？」

「そうです。そこに、今までフリーだと公言していたハルが、昨晩は黄色いラインの入ったシャツを着てきたということで、女の子たちが大騒ぎになったそうで」

「どういうこと？」

「着ている色に意味を持たせているんですよ。赤はストップ、つまりもう決まった恋人がいる人。青はフリーの状態だからアプローチしてもＯＫ。そう、見分けがつくように」

黙って聞いていたミシェルは鼻で笑った。

「ふうん。要するに出会いパーティを兼ねてる、ってこと」

「そうです」

「くだらない。職場にまで、どんだけ出会いを求めてるんだか。しかもあんな半人前にお熱をあげるなんて」

ミシェルは、フランスに恋人を残してきている。遠距離恋愛だが、まったく気持ちが浮つくことはなく、しっかり仕事をこなし、メールや電話で彼との愛を育み続けているという。ある意味、理想的な姿だ。ミシェルの最後の言葉に棘を感じながら、怜衣はどうしても気になることをブラッドに尋ねた。

「あの……。訊いても、いいかしら」

「なんですか？」

「その……黄色っていうのは、どういう意味ですか？」

ブラッドは目を丸くした後、少し考え、答える。

「黄色は……黄色です」

「と、いうと……？」

「わからない。注意して進め？」

「いやいや。止まれ、では？」

「それなら赤でいいじゃない。紛らわしいわよ」

三人しかいない中ですら、解釈に侃々諤々（かんかんがくがく）となってしまう。怜衣は信号機パーティの発案者を呼んできて、どうしてこんなものを考えたのか問いただしたくなった。

「ご想像にお任せみたいな感じがよくなかったのかな。とにかく、ハルを狙ってた女の子たちがヤケ酒みたいになって、収拾がつかなくなった……っていうのが、どうも聞いたところの真相みたいですね。大変だったみたいです。うちのサービスの子たちも含めて」

「じゃあ、さっきハルが作業場にいなかったのは、もしかして、騒動の挙げ句、怪我をしたとか……？」

「いーえ。ボスが管理職ミーティングに出ていらっしゃる間に内線が入りました。寝坊したから遅れる、ですって。イエロー男はやることが違うわ」

「………………」

心配して損した、というやつである。

「最近は真面目になったと思ってたのに。はぁ……」

溜め息をつくミシェルに、自分が謝るのも違うような気がするし、なんと言っていいのかわからず、怜衣は黙り込んだ。色々なことが頭を巡って、考えがまとまらない。

（黄色……。それって、私のことがあるから？　でも、赤じゃなくて黄色って、どういう意味なのかしら……？）

「でもなんか嬉しいですね。こんな、取るに足らない困ったことに対して、ボスと一緒に溜め息をつけるなんて」

「……ブラッド？」

「ホールのことなんて相談したら悪いかと、勝手に遠慮していたんです」

「そんな……。なんでも言ってください」

「こんなに気安く話せるなんて。ハルさまさまですよ」

はにかみながら言うブラッドに、怜衣は申し訳ない気持ちになった。

同じ場所で働く者同士、ホールと厨房で壁を作るべきではないのに、自分のせいでサービスマネージャーに変な遠慮をさせてしまっていた……。

怜衣が反省している間、ミシェルはブラッドに説教を始めている。

「なーにが寝坊男さまさまよ。話を聞く限り、ホールの二人はズル休みなんでしょ？　今すぐ部屋に行って、引きずり出してきたら、ブラッド」

「だめです。かわいそうですよ」

「随分甘いことを言うじゃない」

「失恋は重篤な病のひとつですよ。僕も経験がありますから。一日くらいは大目に……」

「マネージャーのくせに、なに言ってんの。もしかして、二人がいない方が、愛しのマリーといちゃつけるとか考えてるんじゃないでしょうね？」

「そんなこと……。マリーは優秀なので、他の子の分もしっかりやってくれるでしょう」

「それが恋人のひいき目じゃないって、どうやって証明するのよ？　まったく、仕事に恋愛のごたごたを持ち込むなって、この際バシッと言ってやってくださいよ、ボス！」

ミシェルに呼びかけられて、怜衣は冷や水を浴びせられたような心地になる。

ブラッドとマリーも、有名な職場恋愛カップルだった。ブラッドは年下のかわいい恋人に盲目状態だが、上司と部下の恋愛に世間の向ける目は厳しいのだと、ミシェルの言葉で再認識させられる。

（……私とハルのことも。ミシェルに知られたら、やっぱり軽蔑されるかしら……）

とは言え、無言のままでいるのも不自然だと思い、話の穂を継いだ。

「サービスの人員に関しては、ブラッドの領域だから。あなたが決めるべきだわ。こちらでなにかできることはある？」

「いえ。なんとかします。サービスレベルは落としません。ただ、ロイズ・ラインの件は、残念ですが」

そうだった。随分話が遠くまで来てしまったが、元はその話だ。

「わかったわ。ミシェル、もし厨房で行きたい子たちがいたら、教えて」

「了解しました」

トップミーティングを終えて作業場に戻ると、そこではなにごともないような顔でハルが仕込みをしていた。怜衣が姿を見せると、無愛想ながらきちんと挨拶する。

「おはよーございます」

「おはよう。――寝坊したって？」

「げ。……スンマセン」

普段通りに振る舞うつもりでいたのだが、ハルの顔を見た瞬間、問いただしたくなる衝動に駆られた。

（ねえ、ハル。……黄色って、なに？）

「目覚まし時計はセットしてる？」

「う、……はい、気をつけます」

感情が顔に出づらい方だと、よく言われる。けれど、今、自分が普段通りの顔をしているか、自信が持てないまま怜衣は仕事に取りかかった。

いつもなら、他に考え事があっても、すぐ作業に没頭できるのに、この日はいつまで経っても集中できないでいる。

「あ、クルミなんだけど」

「……えっ？　なんの話？」

話しかけられた後の返答も、いつもよりワンテンポ遅れてしまっているような気がした。

「トッピング用にから焼きして固めたやつ。どのくらい必要？　……ショコラスクエア、今日いくつ出すんですか」

「あ、そうね……。昨日なくなるのが少し早かったから、プラス五で仕込みましょうか」

「了解。ちょっと失礼」

　怜衣の足下の冷蔵庫を開けるハルを見下ろしながら、

（あ、髪先が、跳ねてる。……寝坊するようななにかが、昨夜、あったのかしら……）

　また、関係ないことを考えている。

「生クリームが少ないいな。隣から取ってくる？　それとも倉庫から箱でもらってくるか」

「……、っ、お願い」

「どっち？」

　要領を得ない怜衣を、さすがに訝しんだのだろう。

　ハルはじっと怜衣の顔に視線を注いでいる。

　次の瞬間、彼は生クリームのパックを作業台に置くと、怜衣の顔に手を伸ばした。

「マジで熱出た？　涙目っぽい……大丈夫？」

　コック帽の下、露わになった怜衣の額に手を当て、顔を近づけてくる。

　きれいなブルーの目に正面から捕まり、瞬間的に、見ないで、と思ってしまった。

　今の隙だらけの自分を、見透かされたくない。

　怜衣は顔をそむけ、わざと冷たく言い放った。

「ファンデーションが手につくわ。不衛生よ」

「洗えばいいんだろ」

「すぐ洗って。アルコール消毒もよ」

「はいはい。……微熱があるような気もするから、無茶しすぎるなよな」

言い置いて、ハルはアルコールボトルのある作業場出入口の手洗い場に足を向けた。

彼が手を洗う水音に紛れさせるようにして、怜衣は呻く。

「ありえない……」

ハルが近くにいなければ頭を抱えるか、冷水で顔を洗っていたかもしれない。

（ありえないわ、こんな……。仕事の最中に関係ないことばかり考えて。挙げ句、見習いのハルに心配されるなんて……）

しっかりしろ、私！　と心の中で自分を怒鳴りつけた。


香辛料の香りがする潮風に吹かれながら、怜衣は手すりに肘をついている。

デッキからは三つのビルを船の形をした屋上で連結させた特徴的な形のマリーナベイサンズをはじめ、超高層ビルが立ち並ぶシンガポールの街並みが一望できた。

船の中で仕事をしていると、こうしてデッキに出た瞬間、毎日違う光景を見、違う香りの風の中に佇むことができる。世界地図をまたぐ、とてつもなく大きなスケールの旅に出ているることを実感して、自分の失敗や悩み事など些細なことに思えてくるからふしぎだ。

（……よし！　落ち込むのは、終了）

怜衣は気合いを入れ直してから、作業室に戻る。外の空気を吸ったのがよかったのか、それからは朝のような醜態を晒さず、黙々とすべきことをこなしていくことができた。

「あの、ボス……」

ティールームのサービススタッフ、マリーが声をかけてきたのは、午後になって少しした頃だ。彼女は深緑を基調にした丸襟ワンピースというクラシカルな制服を、上品にかわいらしく着こなしている。

今朝のミーティングで人が足りないと聞いていたこともあり、なにかあったのかと尋ねるが、マリーはおっとりした様子で来客を告げた。

「ホールは落ち着いてます。ただ、ボスにお話があるって男性のお客様がいらっしゃっているのですが……」

「なにかしら」

マリーはふふっ、と笑って、怜衣に顔を近づけた。少し声のトーンを落として、上目遣いで囁く。

「ちょっと恰好いい、若い日本人のお客様。お知り合いではありませんか。名乗ってはくださらなかったのですが」

「知り合い……なら、日本を発ってすぐに声をかけてくるはずだけど。ま、いいわ、ホールにいらっしゃるの？」

「はい。窓際のお席にお一人で」

なんだろうと思ったが、行ってみればわかることだ。作業も落ち着いていたので、怜衣は帽子を脱いでホールに向かった。

ティーサロンに若い男性が一人で来るというのは珍しいので、遠目からでもわかる。

癖のある栗色の髪の、柔和な顔立ちの男性で、確かにマリーの言う通り美形だったが、見覚えはない。

（あ、あの人だな）

言葉を交わしてみたが、やはり面識はなかったようだ。

渋澤隆（しぶさわゆたか）と名乗った男性は、怜衣のことはたまたま雑誌で見て知っただけなのだという。

「一緒に乗船している僕の彼女が、以前から三嶋怜衣さんの作るケーキを雑誌などで見て、憧れていたようなのです。それで、もしよかったら、協力していただけないかと……」

彼女へ、サプライズでプロポーズをしたいらしい。

一生に一度の大切な場に、怜衣のケーキを使いたいと言われ、断る理由はなかった。

「もちろん、喜んでお引き受けします。どういうものをお望みですか？」

「どういう、とは……」

「私にお声がけしてくださったということは、お二人の思い出をお菓子で表現したい……と考えられたからでしょうか」

「それでもいいんですが、今までバースデーサプライズでやったことと同じにはしたくないし、なかなかよい案が浮かばなくて。婚約指輪の用意はあるんですが、どうやって渡したらいいか……ずっと悩んでいるんです」

イタリアブランドのジャケットとシャツ、チノパンを着こなした渋澤の振る舞いは堂々としていて、育ちのよさを窺わせる。

（こんなセレブでも、プロポーズは緊張する出来事なのね……）

そう思うと、相手に親しみが湧いてきた。それに、恋人をとても大切にしている様子なので、つい応援したくなる。

「渋澤様の想いを立体的にアシェット・デセール（皿盛りのデザート）に仕上げて、中に指輪を仕込むという方法もあるかと思います」

「ああ……ホテルのサービスの本で、氷細工の中に指輪を閉じ込めるという話を読んだことがあります。三嶋さんの作品は、それは美しいのでしょうね」

「アシェット・デセールの一部に氷細工を入れることはできるかもしれません。ただ、氷彫刻に使うような上質な氷が、すぐに手に入るかは、確かめてみませんと……」

「船の上ですからね。氷にはこだわりません」

渋澤と話をしながら、怜衣は頭の中でイメージを膨らませる。

氷の代わりに、飴細工を使うか。チョコレートでもいい。

彼のお相手はどんな女性だろう。どの雑誌に載っていたケーキの写真を気に入ってくれたのだろう。

言葉を交わすか、せめて遠目に姿を見られればイメージが湧きやすいのだが、サプライズならそれも難しい。ともかく、彼女のことを知れば、なにかいいアイデアが生まれるかもしれない。そう思って、怜衣は質問を重ねた。

「なにか、お連れ様のお好きなものはございますか？　食材でも、お花でも、なんでもよいのですが」

「……甘いものは大体好きで、あまり嫌いな食べものはないはずです。花だと……そうだな、優梨(ゆうり)に似合うのは、白いカサブランカとか」

「素敵ですね。プロポーズは、いつ頃を予定されていらっしゃいますか？」

「……それは」

渋澤は口ごもると、悩むように一瞬視線を横に流した。

「いつでもいい……いや、よくないか。僕たちはイタリアのアマルフィまでのチケットを取っています。そこで下船するまでに……ＯＫの返事がもらえれば」

「あと、約一カ月ですね。イメージをまとめるのに数日、お時間をいただけたらと思うのですが」

「もちろんです」

「ありがとうございます。あと、さしつかえなければ、ご婚約指輪の実物を一度拝見させていただいた方が……」

「また後日、なにか口実をつけて来ます。今日は彼女をスパに押し込んで来たので」

「お連れ様とご一緒の時に万一お会いしましたら、面識のないふりをさせていただきますね。私は普段奥におりますので、滅多にそういうことはないと思うのですが。サプライズですものね」

「そうしていただけると助かります。よろしくお願いします。経費はいくらかかっても構いません」

その言葉に、驚かされる。自分と同年代で、何カ月も船上生活を送っていられるのだから、まったく金銭感覚が違うのだろう。

こんな人に大切に想われているのは、どんなにすばらしい女性だろうか。

プロポーズがまだとはいえ、長い船旅に同行してくれる恋人というなら、いい返事を期待できるのだろう。

きっと今、お二人は幸せの絶頂にいらっしゃるのだろうな。そう想像を巡らせると、自然と祝福の笑みがこぼれた。


作業場に戻ると、振り向きもせずにハルが言う。

「ボス。さっきから何度も、フレンチ厨房のグラマーから、内線」

「さやかのこと？　名前を言いなさいって言っているでしょう。……悪かったわね、長くなって」

しばらくハルに仕込みを任せきりにしてしまった。いつまで遊んでいるんだと思われたのかもしれない。不機嫌を隠さないハルから、返事はなかった。

仕方なく怜衣はフレンチレストランの厨房に内線をかけ、さやかにつないでもらう。

用件は『ガーランド』からの招待の件だった。時計を見ると、もうすぐ参加の可・不可を報告しなければならない十四時だ。

『怜衣！　どう？　一緒に行きましょうよ。夜は忙しくなんてないでしょ』

「まあ、仕込みさえ終われば……」

『先方も、いかにも視察ですみたいなスーツのオッサンばっかり来たら堅苦しいだけよ。ドレスアップして行って、多少華を添えてあげないと』

「それはそうだけど。気が進まないわね……」

『お願いよ、私もシェフに言われたの。女性が私だけだと心細いわ。助けると思って』

そう言われると断りづらい。

さやかから聞く分には、参加希望者は少ないようだった。招待された側として、ある程度の頭数を揃えなければ恰好がつかないというトップの理屈もわかる。仕方がない。

「ちょっと待って。こちらで調整してみる」

『ありがとう！』

受話器を置いて振り返ると、思ったより近くにハルが立っていて、ぎょっとした。

「は……ハル？　どうしたの」

「今の話、どういうこと？」

静かな声の中に怒りのようなものを感じる。一体なにを怒ることがあるのだろう？

「どういう……って。……ミシェルから聞いてない？」

「聞いてない」

「……ごめんなさい。私が伝達すべきよね、こっちの作業場にいるんだから。ロイズ・ラインの豪華客船『ガーランド』から、今夜、手が空いているスタッフはディナーに来ませんか、って招待があったの。お隣同士に停泊するご縁で。ハル、興味ある？」

「ない」

「……そう」

「行く気？」

「ミシェルと今から相談しようと思ってるけど」

「……行くなよ」

「どうして？」

「どうしても」

なぜハルがこんなにむっつりした表情でいるのか、怜衣にはわからなかった。

怜衣が上の空で仕事をしたり、かと思えばホールに行って、いつまでも客と無駄話をしているふうに見えて、気がゆるんでいると思ったのかもしれない。

厨房の仕事を任せきりにして、この上夜も遊ぶのか、と責められているのだろうか。

「あの……言い訳がましいようだけど、ご挨拶に伺うのも営業のひとつなのよ。別にお遊びで『ガーランド』のディナーに行くわけじゃないわ。あなたはいつも通り定時であがれるよう、余計な仕事を増やすつもりはないし……」

「仕事の話にすり替えんなよ！」

「じゃあ、なんの話なの？　……や、っ」

背後に机があるので、突然ハルが距離を詰めてきても逃げ場がなかった。

どうしよう、と思う間に、荒々しく唇を奪われている。ぶつけるようなキスに一瞬頭が真っ白になった。

「……ん、……や、めなさいっ」

「他の船に男漁りしに行くつもりかよ」

思い切りハルの肩を突き飛ばすと、情欲にぎらついたままの目で見下ろされる。

怜衣はそれに対抗するように喧嘩腰で噛み付いた。

「職場ではルール違反でしょう。信じられない。公私混合もいいところよ」

「どっちが」

「仕事で行くのよ？　それをそんな……。大体遊びって、あなたが人のこと言える……」

人のこと言えないいじゃない、従業員パーティで、他の女の子に、思わせぶりなサインを出したりなんかして……。

そこまで思考が至った瞬間、怜衣の中ですうっと体温が落ちた気がした。まるで、熱暴走したコンピューターが突然シャットダウンするように。

「ああ、もう。だめね」

「なにがだよ、レイ」

「仕事中にしていいことと悪いこともわからないなら、ここまでだわ」

「……おい」

「私の趣味をバラそうがなにしようが、知ったことじゃない。好きになさい。もうあなたの言うことは、聞かない」

怜衣は手の甲で唇を拭う。胸が痛い。どうしてなのかはわからない。

(男漁り——をする女と思われたから？　ううん……それだけじゃない……でもうまく説明できない……)

「ちょっと待てよ」

「いいえ、待てない。今日は部屋で頭を冷やしてちょうだい」

「レイ、待って」

どうしてこの期に及んで、すがる子犬のようなまなざしをするのだろうか。

一瞬情に流されそうになったが、それをしてしまうと、まだまだ続く長いクルーズの間、仕事に身が入らなくなってしまうのがわかっていた。

「出て行って」

視線でドアを示すと、ハルは下唇を嚙み、しばらく怜衣を睨んだ後、ふいっと踵を返す。

その足音を聞きながら怜衣は息を止めていたが、静かになった後、深い息を吐き出した。

「なんなの。どうかしてるわ……あの子も、私も……」

待ち合わせ場所の『ディアマント』のレセプションホールに現れた怜衣を見て、さやかは賞賛の声をあげた。

「……完璧じゃない！　怜衣」

手持ちの中から怜衣が選んだのは、脇の下のボウを首の後ろでリボン結びにするタイプのホルターネックのドレスだ。シャンパンゴールドの光沢のある生地が、間接照明を受けて上品に輝く。腰の片側に小粒のビジューが集められ、そこから優雅に流れるサテンスカートのドレープが、怜衣のすらりとしたスタイルを女性らしく彩っていた。

仕事上がりだったので髪はまとめたまま、赤いストーンのついたイヤリングをアクセントにしている。

（なんで、こんなに気合いを入れてしまったんだか……）

ハルとのことがずっと棘のように心に引っ掛かったままだったが、ずっとしまい込んでいたドレスに袖を通すと、少し気分が晴れたような気がした。

「ありがとう。さやかもすごくゴージャス」

「ふふ」

さやかのビスチェタイプのドレスは、Eカップの胸を下から持ち上げるように胸元で大きなリボンが結ばれていて、日本人の感覚ではかなり派手に見えたが、レセプションを通り過ぎる船客やスタッフは「ファンタスティック！」と言って口笛を吹いていく。

「ああ、いい気分！　たまには自分が主役にならないとね。ねえ、怜衣？　厨房と寝室との往復だけじゃ枯れちゃうわ」

「……そうね」

「あら。お仕事サイボーグが珍しく同意すること」

「べ、別に……」

さやかにからかわれていると、カウンターの中から、仲間に押し出されるようにして、ゲストリレーションズの若い男性スタッフが出てくる。ぎくしゃくとした歩き方で怜衣の前に現れた彼は、右手に持っていた一輪の赤バラを差し出した。

「レイさんっ。ずっと憧れてました！　今日は、そ、その……行ってらっしゃいませ！」

「え……あの……ありがとう」

とりあえず受け取ると、ヒュー ッ、と、カウンターの中にいる彼の同僚たちが騒ぎ立てる。客のいるところでなにをしている、そもそもこの花もカウンターの花瓶から抜いたものではないのか？　と思うものの、囃し立てる顔ぶれの中にゲストリレーションズのマネージャーまで見つけてしまい、注意する気力を削がれてしまった。

（ゆ……ゆるい部署だわ……）

男性スタッフは花を渡すだけで満足したらしく、カウンターに戻って同僚たちに小突かれている。

苦笑いの怜衣を、さやかが肘でつついた。

「ヒュウ。もてちゃって」

「やだ……からかっちゃあの子にも悪いわ」

「なーに言ってんの。シャイな子ならこんなとこで告白しないわよ。応援して欲しいから皆に見てもらうんじゃない」

「そういうもの……？」

「そうよ！　怜衣は難しく考えすぎ」

そうなのだろうか。――そうなのかもしれない。どうしても怜衣は自分の中での常識にこだわってしまいがちだ。

お堅い、真面目すぎる、と言われれば、反論できない。

ハルにも、似たようなことを言われた。肩の力を抜け、だとか。――それが簡単にできれば、苦労しない。

（大体、なんであの子の言うことを聞かなきゃならないの？　何度もお願いしたのに……、私たちの関係は、まだ職場の皆に知られたくないって……。なのに、作業場でキスする、なんて）

結局、彼にとって怜衣は欲望のはけ口でしかなく、怜衣の立場や気持ちはどうでもいいのだ。作業場の出来事でそれを思い知らされ、怜衣の心は重く沈んでいた。

（つらい……？　別に、いいじゃない。こちらから好きになったわけでなし……。これで付き纏われなくなるなら、せいせいするだけよ……そうよ……)

自分に言い聞かせて、気持ちの整理をつけようとしていると、船長がやって来て、『ガーランド』への移動を促した。


豪華客船『ガーランド』の内装は、すばらしかった。古いヨーロッパ映画に出てくる王侯貴族の館のように重厚で、ゴージャスなシャンデリアがよく似合う。

怜衣たちは赤絨毯(じゅうたん)にマホガニーの大階段という前時代的なロビーの階下にある、メインダイニングに案内された。横にいたさやかが、半分あきれた様子で呟く。

「これは……お金かけてるわねえ……」

真っ白いテーブルクロスに真っ白い椅子。クリストフル社製のナイフフォークは金色だ。テーブルオーナメントは金の丸皿と白皿の二枚組で、贅沢な雰囲気を演出している。ここで『ディアマント』のスタッフと離れ、それぞれのテーブルに案内された。

怜衣が案内されたテーブルのホストは『ガーランド』のバーマネージャー。ゲストは元市長の銀髪紳士とその夫人、オフを楽しんでいる映画俳優、大会社の社長令嬢とその友人、医者など、そうそうたる顔ぶれだった。

そして怜衣の右隣に座ったのは『ガーランド』を所有するロイズ・ライン社の若き御曹司だ。ジェラルドと名乗った彼を筆頭に、住む世界の違う人々の集まりに始めは緊張したが、バーマネージャーがうまく場を采配してくれ、なんとか会話を楽しむことができた。

料理はフレンチのフルコースで、アボカドと小エビの前菜から始まり、ロブスターのサラダ、イトヨリのシュープレームなど、伝統的なメニューが多かった。味が薄く、やはりピンとは来なかったけれど、食べて吐き出すほど不味いわけではない。その証拠に、同じテーブルの客たちは満足そうにしていた。皿を下げに来たウェイターに感想を求められ、惜しみない賛辞を送っている。

（うーん。まあ、美食を追求するっていうよりは、社交の場なのよね……。それもまたクルーズの魅力ではある、か）

デザートのフォンダンショコラの甘ったるさに辟易しながらも、怜衣は大人の作法として笑みを絶やさなかった。

食事が終わると、カップルは連れ立ってボール・ルームに移動していく。

（フォーマルディナーの後は、舞踏会、か。すごいわ、まるで『タイタニック』の世界）

さやかを探すと、短髪のお洒落な青年と腕を組んで歩いているのが目に入る。邪魔しては悪いだろう。

船長とフレンチレストランのシェフは、『ガーランド』のオフィサーグループと話が盛り上がっている様子だった。

どうしよう。食事中、テーブルを回ってきた『ガーランド』のスタッフにあらかた挨拶はしたと思うので、目立たないよう、帰ってしまおうか。

考えていると、右隣から声をかけられた。

「レイさん。下でダンスはいかがですか？　お誘いしてよければ」

「ジェラルドさん。ありがとうございます。あの……お恥ずかしいことに、私ダンスはあまり得意では……」

「なんだ。そんなの、お教えしますよ」

　ロイズの御曹司は軽く請け合う。赤毛の長めの髪に、水色の瞳。薄い唇に浮かぶ冷ややかな笑みのせいか、他人に興味がなさそうなタイプに見えたが、食事の間、怜衣にも気を配り、さりげなく話しかけてくれた。今も一人で所在なげにしているのを見て、気にかけてくれたのだろう。さすが、上に立つ人間は、気遣いが行き届いている。

「いえ、結構です。本当のところ、まったく踊れませんので」

　口にするのが恥ずかしかったが、手間をかけさせても悪いと思い、はっきり言った。

「それでは、よろしければ、船内を案内しましょうか」

「お忙しい方の手を煩わせるわけにはまいりません。もう帰ろうと思っていましたので」

「それも味気ないでしょうし。実は、僕も居場所がないんですよ」

「どういう意味ですか」

「従業員からしてみれば、社長である父に報告されるような気がして、僕が傍にいると落ち着かないんですよ。いくらオフに気晴らしで乗っていると言っても、皆安心して内緒話ができないでしょう。かと言って、さっさと部屋に引き返すのも感じが悪いし。少し時間潰しの相手をしてくださる優しい方がいれば、助かるのですが」

無表情のまま言われたのが、下心を感じさせず清々しい。他人の顔色は見るけれど、機嫌は取らないといった悠々とした雰囲気は、怜衣の周りにはあまりないものだった。

「今の時間だと、おそらく誰もいませんが、製菓の厨房をご覧になりますか」

「よろしいんですか？」

「どうぞ。見られて困るものはありません。通りがかりに他の施設も案内しましょう」

「……ありがとうございます」

怜衣はジェラルドの案内に従って、レストランを出た。

水晶宮（クリスタル・パレス）をイメージして作られたという緑たっぷりの屋上ティールームや、クルミ材をモザイクにした床が印象的なパブ、ボックス席のある劇場、それぞれのバックヤードなどを一通り案内してもらうだけで、あっという間に一時間が経っていた。

ジェラルドは多弁ではなかったが、怜衣の質問に、押さえるべきところをしっかり押さえた回答をくれる。話の流れで、ふたつ年上だということがわかった。

（……話しやすいな、この人）

言葉のキャッチボールが自然で、ゆっくり考えを巡らせながら意見を交わすことができる。ハルとのやり取りのように、感情が無理やり揺さぶられて胸がどきどきするようなことはない。

怜衣は久しぶりに穏やかな気分になっていた。

一緒に乗船したスタッフたちはめいめい自由に行動しているようだったので、結局、怜衣は一人で船に戻ることにした。

ジェラルドは当然のように、送りますと言う。あまり固辞してもかえって失礼かと思い、『ディアマント』の下まで送ってもらうことにした。彼のエスコートはさすがにスマートで、自分もいっぱしの令嬢であるかのように錯覚させられる。

「へえ。あれが『ディアマント』ですか」

『ガーランド』のタラップを降り、岸壁沿いを歩きながら、ジェラルドが少し離れたところに繋留されている『ディアマント』の船体を見上げた。

「はい。今度はぜひこちらにも遊びにいらしてください……あ」

「お知り合いですか」

『ディアマント』のタラップの前に、私服姿で立っているのがハルだと気付き、怜衣は足を止めた。彼は、いかにも観光から戻ってきた客が乗船前に少し夜風に当たっているのだ、という感じを装っている。しかし、

(私を……待っていたの、かしら)

後味の悪い状態で部屋に追い返した負い目から、怜衣は俯いてしまった。ハルの視線はこちらにまっすぐ飛んできている。睨んでいるのかと思うくらい、きつい表情だ。

「……彼は、うちの部署の子です」

「……へえ。わざわざお出迎えですか」

「さあ……。ですが、ここで失礼いたしますね。……おやすみなさい。ジェラルドさん」

「おやすみ、レイさん。楽しい時間でしたよ」

怜衣はジェラルドの姿が視界から消えるまで見送ると、ハルとは目を合わせないようにしてタラップをのぼり、船内に入る。が、認証カードを機械に読ませて乗船手続きをしている間に、肩を摑まれた。

「なんだよ、あれ」

「……なにが？」

「あの男。なんで……一緒に帰ってきたんだ？」

ハルの発する怒気に怯みそうになりつつ、表面上は平静を取り繕って言葉を返す。

「送っていただいただけよ。お願いだから騒がないで。昼の話を忘れたの？」

ハルはぐっ、と返答に詰まった。

怜衣は機械から吐き出されたカードを受け取ると、ハルの手続きを待たずに歩き出す。先に従業員用エレベーターに乗ろうとしたものの、あと少しのところで追いつかれた。

エレベーターが上昇する間、気まずい沈黙が狭い箱の中を埋める。

ハルは結局、沈黙したまま怜衣の部屋までついて来た。

いつ、他の管理職が『ガーランド』から帰ってくるかわからない。

怜衣は声をひそめて囁いた。

「自分の部屋に帰りなさい」

「断る」

「……ハル」

「部屋入れて」

「そういうのが困るって言ってるじゃない」

「いいから、入れて」

(この子が、ここで引くわけないわよね……)

怜衣は溜め息をついた。我の強い子だし、そもそも彼が合鍵を持っている時点で、押し問答は無駄に近い。諦めて鍵を差し込み、二人で部屋の中に入った。

「――悪かった。作業場で、あんなことして」

開口一番の言葉に、怜衣は耳を疑った。あのハルが、自分の非を認めるとは。

「……どうしてもキスしたかったから。……だけど、あんたを困らせたことは、反省する」

「…………」

謝られて、怜衣の中に残っていた怒りは軽くなった気がしたが、繰り返させないためにはどうしたらいいのだろうか。それを考えている間に、ハルの口調が変わった。

「だけど、レイの方はどうなんだよ」

「なにが」

「なにがじゃない。他の男に笑いかけて、隙見せて……あげくの果てにあんな男と」

送ってもらっただけだと説明したにもかかわらず、まだハルはこだわっている。

この子は、怜衣が仕事で接触する男性すべてに、いちいち嫉妬を向けなければ気が済まないのだろうか？

釘を刺すつもりで怜衣は語勢を強めた。

「どうしてそんな言い方をするの？　ジェラルドさんが送ってくれたのは仕事の延長でしかないのよ」

「どうだか」

「ハル。そういう言い方は、ジェラルドさんにも……私にも失礼じゃない？」

「はっ。あんたもしょせんセレブにつられる尻軽女だってことかよ！」

乾いた音が部屋に響いた。怜衣は、思わず手を出してしまったことを悔いたが――しかし、ハルの言い方もひどすぎる。そこまで言われるようなことをした覚えはなかった。

頬を叩かれて驚いた顔をしたハルは、いきなり怜衣の体をベッドの上に突き飛ばした。

「きゃっ……」

のしかかってくるハルの形相に、一瞬殴られるのではないかと身構える。だが、彼の手が性急にドレスの裾をたくし上げるのを見て、慌てて止めた。

「ハル……っ、や、……めなさっ……」

「いいから」

無理やりストッキングを引きずり下ろそうとするハルに抵抗して足をばたつかせる。

するとびりっと派手な音を立てて、ストッキングが引き裂かれた。

「本当に、いや……！」

「…………」

「ハル、私は人形じゃ……ないのっ……！　心が……あるの……！　あなたはいつも、俺のものとか玩具とか言うけど……遊びの一環かもしれないけどっ……」

弱いところなど見せたくない、そう思っているのに、だんだん、声が細くなってしまう。

せっかく念入りに化粧して、お気に入りのドレスを着ていたのに。

こんな、ぐちゃぐちゃに組み敷かれて。

ただのセフレ——もしくは、それ以下か。

中途半端な『黄色信号』のサイン。彼が自分のことをなんだと思っているのか、問いただすこともできなくて、苦しくて。

欲望だけで太腿を撫でられても、悲しくなってしまうだけだ。

「どうしてなのっ……？　こんなの、いや……！　……今のハルには触られたくないの……知らない人みたいで、怖い」

怜衣が声を絞り出すようにして訴えかけると、ハルは動きを止める。わかってくれたのかとほっとしつつ、泣き顔を見られたくなくて、怜衣は慌てて手で顔を覆った。

沈黙が、落ちる。

「……なんで、急に、そんなこと言うんだよ……！」

やがて洩れたハルの声は、今まで聞いたことのない質のものだった。

「なんで、今日になってそんな……。レイ。頼むから教えて。さっきの男に口説かれた？それとも、元彼とよりを戻すことにしたの？」

「……も……元彼って……なんの話をしてるの？」

「昼間、ホールに来てたんだろ。顔見に行こうとしたけど、他のやつに邪魔されて」

サプライズを頼んできた渋澤の件だろうか。

「ただのお客様よ……」

「日本人だって聞いた」

「日本人客は全員私の元彼なの？」

「………」

「冷静になって、ハル。どうかしてる……。そのお客様、恋人へのプロポーズの手伝いを依頼してきたのよ」

「……本当に？」

「本当よ」

「……嘘だろ」

ハルの体温が離れていく。どうやら物音からして、ベッドから降り、床に座ったようだ。

「……くそ、マリー、あいつ……ガセかよっ……」

「間違った情報を信じたのはあなたでしょう。人のせいにせず自分の短慮を反省なさい」

なんとか立ち直った怜衣は、手厳しい言葉をハルに浴びせる。

「だって、どうしろって言うんだよ……なんで俺をさしおいて……他の男にばっか目をやる……くそっ」

「別に、目をやってなんかないわ」

ハルの語気が弱まった分、怜衣も自分のペースで喋ることができるようになった。顔を覆っていた手を外し、体を起こす。

「フロントまで、なんかあんたのことで騒いでたけど……？」

『ガーランド』に行く直前の一件だろう。今日は色々なことがあった一日だと思ったが、どれも怜衣の中で重みを持つ出来事ではなかった。彼らは異性として怜衣を意識させることは、まったく、できていないのだ。

「あのね……。そうやって私が会話した男の人全員に突っかかっていくつもりなの？」

「悪いかよ！　レイは俺のものだ、何度もそう言ってるだろ」

声を荒げたハルが、再び膝をベッドに乗り上げる。

思わず怜衣が身構えた瞬間、抱きすくめられた。

「体からオトしてなにが悪いんだよ。どうせ俺は年下で……普通に働いてるだけじゃ、あんたに男扱いされないんだ。なんとか視界の中に自分をねじ込んだのに、あんたと同年代の、同じような社会的立場のあるやつに、横からかっさらわれてたまるかよ……！」

「………」

なにを言っているのだろう。この子は。

「非力に見えるかもしんないけど。俺だってレイを守れる。守りたい。あんたがさっき震えるのを見て、そう思ったけど、……でも怯えさせたのは俺だった。ごめん」

「………」

「嫉妬と、あんたの心が離れていくのが怖くて……どうかしてた。二度としない」

ハルは叱られた犬のように視線を下げる。見たことのない表情に、緊張した空気にもかかわらず、怜衣は思わず笑ってしまいそうになった。

（さっきまであんなに絶望して、怒ってたのに……私ときたら、なんで許してしまいそうになってるんだか……）

我ながら単純だと思う。けれど嬉しかったのだ。ハルの言葉が――嫉妬が。

怜衣に執着して、思考が絡まって、あんなふうに支離滅裂になっていたのだとわかったら、乱暴にされたことも許してしまえそうになるくらい。

（ハルの心が私にあるのだって、思ってもいいなら、……報われる）

怜衣の方だって、ハルのことを、一時の遊び相手とは、どうしても思えないのだ。

（今、この子の存在が、一番重い――どんな素敵な人との時間よりも）

それが恋なのか、それとも肉体的な執着なのかは、わからないけれど。

「じゃあ『黄色信号』は？　――『赤』に変えてくれるの？」

一歩、歩み寄ってみれば。

「！　俺に惚（ほ）れたのか？　レイ！」

どうしても、怜衣の方から惚れた、と言わせたいのか。子供っぽい反応に苦笑していると、ハルがぐい、と怜衣の顔を両の掌で挟み、視線を捕まえた。

「なあ、……惚れたんだろ？」

相変わらず上からの物言いだが、瞳には若者らしい虚勢と不安が透けて見える。好きだよ、と、プライドと感情がせめぎあう表情の中で、彼は確かにそう言っている――。

ということに、今日はしてあげよう。

(子供が背伸びして、恰好悪いくらい。それを、愛おしい、と思ってしまったんだから、私の負けだわ)

いらない回り道をしたような疲労感があった。

「ええ、そうね。……好き」

「へ、へ……。じゃあ仕方ないな、付き合おっか」

相好を崩すハルに、一応、釘を刺す。

「仕方なく、なの？　言葉の使い方には気をつけなさいと、教えたわよね」

ハルはきょとんとした顔になった後、少し考え込み、どこまで本気かわからないうやうやしい仕草で怜衣の手を取り、口づけた。

「……幸せにする。じゃなくて、させてください。俺の女王陛下」

六、初デート、意味深プレゼント

爽やかな茶葉の香りが鼻をくすぐる。

紅茶工場の庭の東屋(あずまや)で、怜衣は『ディアマント』の乗客と一緒に、目の前の茶園で摘まれた茶を味わっていた。

インド洋の真珠とも呼ばれるスリランカ。ウバの茶園は今が収穫のトップシーズンだ。カップから立ち上るメントールに似た香りに包まれながら、産地で飲むお茶というのは、特別な高揚をもたらしてくれる。

茶園見学はオプショナルツアーのうちのひとつだった。

コースは他にも、古代シンハラ王朝の仏教遺跡見学や、癒しのアーユルヴェーダ体験、ビーチでのマリンスポーツなど多岐にわたる。船ごとに決まりはあるようだが、『ディアマント』では、オフの従業員もツアーに参加していいことになっていた。

それが目当てで、クルーズ船で働いている従業員もいるくらいだ。なんといっても、旅費をかけず、世界中の名所、名跡を訪ねることができるのだから。

怜衣は遊ぶために下船したことはないが、気になっていた茶園の見学ができるということで、珍しく仕事を抜けてきていた。

（ちょっと予想外な展開だけど……）

怜衣は肩を竦め、背後のテーブルの会話に耳を傾けた。

「まあ。それじゃあハルは、昔からお菓子作りが好きだったの？」

「ん、まあ、そうかな。よくママと粉だらけになりながらクッキー焼いたりしてたかも」

「それが高じて、熱心にパティシエを目指しているなんて。お母様もお喜びねえ」

ティールームでお茶を飲む時には、いつも品よく微笑むばかりの乗客のマダムたちが、ハイトーンで高笑いしている。それに答えるのは、殊勝げな青年の声だ。

「見習いなんで、ボスには怒られてばっかりだけど。好きなことができて楽しい」

「まあ……！　偉いわねえ」

（誰よ……この爽やかな青年は……）

このような前向きな発言を、上司（ボス）の自分はついぞ聞かせてもらったことがないのだが、と、怜衣は顔をひきつらせそうになりながら、黙って聞いていた。

「がんばって。私たち応援するわよ」

「そうよ、皆で毎日ティールームに行くわ。ハルの成長を確認しにね」

「ハルの作ったケーキ、食べたいわあ」

マダムたちの声は蕩けきって、まるで若いつばめをかわいがるような調子だ。

（ハルったら、なんでその態度を、普段から同僚に取れないの……？）

これほど上手に猫かぶりができるのなら、職場で余計な軋轢を生まずとも、やっていけそうな気がするのだが。

どんな顔をしていればいいのかわからずに座っていた怜衣は、

「ボス」

突然後ろから呼ばれて、内心どきりとしつつ、何気ない風を装って返事した。

「……ハル。なに？」

「貸す。カーディガンじゃ寒いだろ」

怜衣の肩に重みがのしかかる。ハルが着ていたジャンパーだ。先ほどから怜衣が冷えた二の腕をさすっているのを見ていたらしい。怜衣は自分にかぶせられたものと、薄いシャツ一枚になったハルの姿を交互に見遣り、慌ててジャンパーを返そうとした。

「待って、ハル。いいわ、大丈夫よ」

「無理するなよ。さっきから寒そうにしてた」

「それは……」

茶園があるのは高山地帯なので、赤道近くの南国とは思えないほど気温が低かった。工場の中ではストーブが焚かれているくらいだ。上着を持って行った方がいいとは聞いていたが、港の暑さに油断して薄手のカーディガンにしてしまった。

「平気よ。少しの間だし」

「使って。一回渡したものを男は引っ込められないんだ」

押し問答をしていると、マダムたちがハルを援護射撃する。

「いい子ねえ。ほんと、こんな優しい娘婿でもいたらねえ」

「あなた、借りておきなさいな。女性は体を冷やしたらだめ」

「そうよ、そうしなさい」

「は、はい」

客の手前、突き返すわけにもいかず、怜衣は勧めに従ってジャンパーに腕を通した。

（もう……恥ずかしい……）

女物の服にはない生地の感触やぶかぶかの肩周りに照れを感じながらも、中綿の入ったジャンパーの中にはハルの体温が残っていて、とてもあたたかかった。

（強引……。でも、借りてしまったのだから……お礼を言った方がいいわよね……）

だが、怜衣が気恥ずかしさに悶えている間に、ハルはマダムたちと別の話で盛り上がっていて、今更割って入れない。タイミングを逃したことを後悔しつつも、自分が寒がっていたことにハルが気付いていたのだと思うと、少し嬉しいような、くすぐったいような、なんとも言えない気分になるのだった。


「あら。ハルたちはここでお別れ？」

バスで中心地のコロンボまで戻って来たところで、ツアーから離れようとする怜衣とハルに、マダムたちが名残惜しそうに声をかけた。

「そうなんです。所用がありまして。皆さん、市内観光、楽しんでください」

仕事の用事があるのだという顔で言いながらも、怜衣は内心気が気でなかったが、

「ボスー！　トゥクトゥク止まったよ、早く！」

大通り沿いで三輪タクシーを止めたハルに呼ばれ、挨拶をしてからそちらに走った。

オートバイに自動車の後部座席をくっつけたような形の三輪タクシーの、二人乗りのシートに、ハルと並んで座る。

走り出したトゥクトゥクには、よく風が入った。薄物一枚でも汗が噴き出してくるような熱帯の空気に、怜衣はカーディガンを脱いでワンピース一枚になる。

ハルも小脇に、バスの中で返したジャンパーを抱えていた。

（今更お礼も変かしら……いえ、でも言った方が絶対いいわ。……改めて……。どうしよう、は、恥ずかしい……）

礼儀は重んじたいのだが、恋愛対象に〝甘える〟だとか〝素直になる〟というのは、自分には似合わない気がして、どうしても気が引けてしまう。

ちらちらと視線を投げかけてしまったのが目に入ったのだろう。

「レイ？　なに」

心の準備ができる前に問いかけられ、言おうとしていた言葉が吹き飛んでしまった。

「……え、ええと……大丈夫だったかしら」

「なにが？」

「私たちだけで……抜けて」

しどろもどろでなんとか紡いだのは、先ほどまで気を揉んでいた別件だ。

やはり、本当に言いたい言葉は、なかなか口に出すのが難しい。

「今からデートですって皆に言ったの？」

「言うわけないじゃない。でも、仕事を言い訳にしてるみたいで、それもなんだか」

窓の外に視線を泳がせる怜衣に、ハルが突然、あきれたように問うた。

「あのさ。レイって、いつもそんなことばっか考えてんの？」

「そんなことって？」

「他人から自分がどう見えるか、とか」

「……気にしないわけにはいかないわ」

「なんで？」

あっけらかんと訊かれると、自分でも理由がわからなくなりそうになる。

人からの評価がすべてとは言わないが、その比重は怜衣の中で大きい。他の人に、できる人間だと思われたい。だめなやつだと失望されたくない。それは、いつからとははっきり言えないが、怜衣の中で確固とした価値観となっていた。自分では、それが普通で、皆そうだ、と思っていたので、改めて問われると回答が難しい。

「逆に訊くけど、ハルはどうして他人の目が気にならないの？」

「気にならないから」

「……理由になってないじゃない」

「気にしたってしょうがないことじゃん。こうやって、世界中回ってると、思わない？　いろんな人がいて、いろんな文化があって、いろんな考え方がある。自分の小さな常識に固執するのは、つまんないよ」

筋の通った意見に、怜衣は目からうろこが落ちたような気になる。彼の言う通りだ。

（私……いつの間にか、肩に力を入れすぎてたのかしら……）

元々、怜衣は、菓子作りがただ好きなだけだった。

頭の中に浮かんだ美しい細工を形にしたくてたまらなくて。

凝り性なので、技術とセンスをどんどん高めたくなってしまって。

海外に出て努力した結果、運よく得られたすばらしい環境や地位に、いつの間にか執着していたのかもしれない。

それを手放したくないあまり、僅かな失点も自分に許せなくなっていたのかも――。

くすり、と怜衣は自嘲の笑みを洩らした。

いつの間にか考えの凝り固まっていた自分が恥ずかしいが、しかしそれをほどいてくれた感謝を年下の恋人に伝えられるほど、まだ、素直にもなれない。恰好悪いのを知っていながら、強がった物言いをする他なかった。

「つまらない……そうよね。その通りよ。あなたからしてみれば、私は真面目で融通のきかない人間に見えるかもしれないわ」

「お。そこは認めるんだ」

「……でも、この仕事が好きだから、後悔はしてないわよ。身に着いた知識と技術は絶対裏切らないし」

虚勢半分、胸を張るようにして言うと、ハルはぎゅっ、と座席の上で怜衣の手を握った。

「あんたのそういうとこ、好き。面白いことはこれから、俺と一緒に覚えていこうよ」

こんなところで、好き、だなんて、トゥクトゥクの運転手に聞こえたら、だとか。

つないだ手が、他の車から見えるじゃない、だとか。

怜衣の理性が抗議の声をあげたが、きゅっと胸が締まる甘酸っぱい感覚に、なにも言えなくなる。顔が熱い。少女でもあるまいし、こんなことでどきどきしてしまうのはばかみたいだと自分で思うのだが、夜、部屋で会うのとはまったく違う新鮮な気分だった。

（デート……か。車の中で手をつなぐなんて、なんだか一時たりとも相手と離れたくない、って感じがして、すごく『恋愛』っぽい……）

シフトではハルは出勤することになっていたのに、勝手に他のスタッフと休日を交換してツアーの集合地点に現れて驚かせたことも、いつもの怜衣だったら説教しているところだ。なのに――。

（私、この子といることで、もしかして、上司としてはだめになっているの、かしら。気分がふわふわして、判断が甘くなってる……？）

あちらこちらで大音量のクラクションが鳴り響いている大通りを、トゥクトゥクは軽やかに走り抜けていく。灰色のビルディング。極彩色の看板。ココナッツオイルと汗と排気ガスの匂い。日本とはまた違うアジアの都市らしい喧騒に、怜衣は自分の立ち位置を見失いそうになっていた。

　遅い昼食は、トゥクトゥクの運転手推薦の、地元の人間ばかりがひしめき合う小さな食堂でとった。日本のものより少し水っぽいスリランカ・カリーとご飯、野菜とココナッツの炒め物、薄焼き煎餅のようなもの、とたっぷりのボリュームだ。こちらでは、一日三食カリーということも珍しくないらしい。

　市場が近かったので、トゥクトゥクの運転手の勧めに従って、二人で屋台をひやかすことにした。

　お腹いっぱい食べた後だというのに、種類の多さとみずみずしい香りに惹かれて、怜衣はトロピカルフルーツの屋台の前で足を止めてしまう。すかさず店主が味見用にと、バナナを一本差し出してくれた。

　戸惑う怜衣の横で、ハルはあっさりと受け取って皮をむき、かじり付く。

　無言で見上げる怜衣に、ハルは首を傾げた。

「あれ、どうした？　バナナは嫌い？」

「いえ、その。外で、生ものはあまり……かと」

　船で働くスタッフが食中毒の症状でも出そうものなら、部屋に強制隔離だ。

飲食部門の管理職がそんなことになった日には、目も当てられない。

「生水飲まなきゃ大丈夫だろ？」

「………」

そうとも言いがたい。サラダの野菜を洗った水やジュースの氷などが原因で、お腹を壊したスタッフの話も聞いたことがある。

怜衣が心配している間に、ハルはあっという間にバナナ一本食べきってしまった。

「心配なら、無理する必要はないけどさ。こんなにうまいのにな」

そう言われても、いつもの怜衣ならまず理性を優先して、絶対に手を出さないところだ。

しかし、活気のある喧噪の中、屈託なく外国の屋台を楽しむハルの冒険心を羨ましく思ったせいか、おそるおそる、口元にバナナを運んでしまう。

一口かじった。口の中で転がしたのは、味におかしいところがないか確かめるためだったが、芳醇で蕩けるような甘さが口いっぱいに広がり、思わず声を洩らす。

「おい、しい……！」

「だろ？」

怜衣は何度も頷いた。

砂糖の甘さではなく、滋養をため込んだ果肉そのもののフレッシュな甘さ、太陽の香り、歯を必要としないほど柔らかな食感、すべてが調和して震えるほど美味しい。

店主が言うには、輸出品のバナナは熟れる前に収穫して倉庫で熟成させるので、木の上で完熟したものとはまったく違う味になるのだという。

「ひと房買って帰ろう。船でバナナケーキ作ってやるよ」

そう言って、ハルは店主に声をかけルピーを払う。

「バナナケーキ？」

「最高のレシピ知ってるんだ」

にっこり笑いかけられて、その表情に釘付けになってしまったことをごまかすため、怜衣は思わず対抗してしまった。

「奇遇ね。私もよ」

「……菓子界の女王、大人気（おとなげ）ないね」

「作りあいっこしましょうか」

「いいね。じゃ、今日は俺の担当。あ、向こうの香辛料屋でカルダモン買って行こ！　紅茶に入れたら、すっげー幸せの味がするから」

店主からバナナの入った紙袋を受け取り、ありがとう（アーユボーワン）！　と現地の言葉で挨拶して、別の屋台を指差すハルは、自信たっぷりでとても旅慣れた雰囲気だ。

「ハル、前にも、このあたりに来たことがあるの？」

「ないよ。なんで？」

「やけに堂々と店の人と話してたから」

「屋台なんてどこも似たような感じだろ。あ、女王様は、こういうとこ来たことないのか」

「バカにして……。日本にだって商店街はあるけど、国によって雰囲気が全然……」

「ノリで話せばOKだって。あーっ、見て、レイ、あれ、ふしぎな顔！」

ハルは土産物屋に飾られている仮面を示して怜衣を笑わせたり、再びトゥクトゥクを捕まえて、紅茶の専門店に連れて行ってくれたりして、ガイドブックも持たずに賑やかに怜衣をエスコートしてくれた。

完璧に計算された大人のデートとは、ほど遠い。怜衣は童心に返ってハルと笑い合う、なんの計算もない、楽しい時間を過ごした。


ショーウィンドウの中にカクテルグラスがひとつ。その中や周囲に、色とりどりの大粒の石がこぼれている。サファイア、ルビー、アレキサンドライト、キャッツアイ、トパーズ。説明書きを見ると、すべてこの国産出の石らしい。『光り輝く島』が語原のスリランカは、宝石の産地なのだ。ウィンドウを見つめる怜衣の瞳の中に、星が散る。

「わぁ……」

「どう？　あった？」

トゥクトゥクから降りてきたハルが尋ねた。市場で買ったものは置いてきたらしく、手ぶらだ。怜衣は振り返り、首を横に振った。

「あ、ううん。ショーウィンドウにはないみたい」

「じゃあ中だ」

「えっ、いいわよ……！」

「せっかく来たんだし」

ハルは怜衣の腰を抱いて宝石店の自動ドアの前に立った。焦った怜衣は小声で囁く。

「用があるのはジュエリーボックスで、宝飾品なんて買う気はないのよ……」

「中に、ジュエリーボックスが飾ってあるかもしれないだろ？」

それはそうなのだが、高級店へのひやかしは気が引けるものだ。

店に入った瞬間、黒服の店員に挨拶され、内心どきどきしながら会釈を返す怜衣を尻目に、ハルはどんどん店の奥に入っていった。

（あの子……店員さんに箱だけ売れとか、無茶言わないでしょうね……）

怜衣は心なしか早足になりながら、ハルの背中を追う。

きっかけは箱だった。大通りに出ていたこの店の看板に、金細工を施したジュエリーボックスの写真が使われていて、ひと目で怜衣が気に入ってしまったのだ。

渋澤に頼まれていたサプライズの演出用に、このジュエリーボックスのような透かし彫り風の飴細工の指輪入れを作ってみようか。そんなことを考えながらじっと看板を見ていたら、ハルが言い出した。店に行けば実物が、もしかしたら他の模様のやつとかも飾ってあるんじゃないの？　と。

看板の場所からそれほど遠くないところに店舗があるとトゥクトゥクの運転手が言うので、そのジュエリーボックスが撮影用の小道具なのか、それとも店で購入した際に入れてもらえる箱なのかもわからないまま、来てしまった。

それにしても、さりげなく外から窺うだけのつもりだったのだが。

怜衣は店内のガラスケースの中を見て歩くハルの横で、彼が常識のないことを言わないか見張るような心地でいたものの、意外にもスマートに旅行中に立ち寄った恋人同士らしく振る舞っていた。

「レイ、どんなのが好き?」

「そうねえ……」

演技だと承知の上だが、欲しい宝石など思い浮かばない怜衣は、適当に言葉を濁す。

仕事中はアクセサリーをつけられないこともあり、怜衣はほとんど宝飾品を持っていなかった。

「好きなのプレゼントしようか」

「ふふ……嬉しい」

うまいことを言って、この子ったら。と思いつつ、悪い気はしなかった。

思えば、ハルからのもらいものといえば、いかがわしいアイテム類だけだ。眺めて恋人気分に浸れる代物ではない。

だが、そこに並んでいる宝飾品は、気軽に欲しいと言える金額とは、桁がひとつかふたつ違っていた。ハルの月給なんて、軽く飛んでしまう。

(いいわ、気持ちだけで)

こうやって、正式な恋人のように扱われるだけで、くすぐったくて、幸せな気分になる。

ずっと同じ船内にいて、誰かにバレたらどうしようと心配していた反動か、旅先でのデートは開放的で、気持ちいい。

と、突然耳慣れないデジタル音が、静かな店内に響き渡った。その音が自分のそばから響いているのを知った怜衣は、慌ててバッグをさらう。

音の出どころは、職場から貸し出された携帯電話だった。

「もしもし？　……ああ、ミシェル。なにかあったの。……え？　今日締め切りの雑誌のチェック？　ええ。……ああ、本当ね、間違ってるわ、中身はバニラのクレームブリュレと、レモンの……。ちょっと待って？」

怜衣は電話を保留状態にし、ハルに囁いた。

「……ごめんなさい、ちょっと外で話してくるわ」

「ん。箱、見当たらないけど、店員に訊いてみようか？」

「大丈夫」

「了解。行ってらっしゃい」

店の外に出て、ミシェルの読み上げる原稿に訂正を入れていると、しばらく経ってハルが出てきた。

（ああ、やっちゃった……）

怜衣は片手で謝意を示しつつ話し続ける。通話が終わってから、先にトゥクトゥクに乗り込んでいたハルの横に滑り込むと、おかえり、と言われた。

「ごめんなさい。長引いちゃって」

デート中に、仕事の電話を長々とするなんて、興ざめだっただろうか。

「当然だろ、気にするなよ。店の中、まだ見たい？」

「大丈夫よ、ありがとう。看板を見て、デザインのインスピレーションは浮かんでいるの。現物がなくても、充分参考になったわ」

「そっか。……じゃ、車出してくれる？　港に向かって」

ハルが運転手に声をかけるのを聞きながら、怜衣は携帯電話の時間表示を見る。辺りは真昼のように明るいままなので、まだまだ時間はあると思っていたのだが、船に戻らなければならない時間が近づいてきていた。びっくりして、その後ふいにさびしくなる。

「レイ、まだ遊びたい？」

「別に」

わがままを言っても仕方ないことはわかっているから、そう答えたのに。

「意地張って。もっと一緒にいたい、って言ったくらいで、死にゃしないよ」

相変わらずハルが、歳をわきまえない生意気なことを言うので、怜衣は売り言葉に買い言葉のように返してしまった。

「甘えてくれる女の子の方が、タイプでかわいいんでしょう」

「あんたがタイプでかわいいんだよ。なんで人の話聞いてないの？」

「無理しなくてもいいわ。〝かわいい〟のが似合うキャラじゃないのは知ってるから」

　さびしいな、まだ離れたくない――。そんな素直な言葉が似合う女の子が羨ましい、とは思うけれど、それを目指していたら、今のポジションは手に入っていなかっただろう。

　さびしくても、つらいことがあっても、誰の胸も借りず、一人で立ち直ってきたから、今の怜衣がある。すべてを手に入れるのは不可能だ。だから、これでいい。

　そういう怜衣の開き直りを、ハルは何気ない言葉で打ち砕く。

「そうやって、早く完璧な大人にならなきゃって肩肘張って、義務や責任ばっかり背負い込んで、キャリアで武装して強いふりをして」

「………………」

「女王様の仮面をかぶってても、かわいいお姫様だよ、俺の目に映るのは。……守られるばかりじゃない、向上心を持って闘うお姫様」

　そして、目の前に差し出されたのは。

　宝飾店の看板に使われていたのと同じ、ジュエリーボックスだった。

「これ……！　どうしたの」

「そんなお姫様に。ちょっとしたプレゼント」

「ゆ……譲ってもらったの？　お店に、無理言ってないわよね？」

「盗ってきたんじゃないから安心しろよ」

「そんな……」

「開けてみれば」

無理やりハルに押し付けられた小箱は、側面に小さな留め金がついていて、それを外すと上蓋が開くようになっている。中には金色のクッションが敷かれ、その上に、カッティングされた、とろりと深いブルーの石が入っていた。石だけ、だ。指輪にもネックレスにもなっていない。宝石には詳しくないが、大粒で、十カラット近いのではないだろうか。

「ハ……ハル……これ……」

「やる」

ポケットに入っていた飴でもくれるような軽さで、ハルが言う。

（じょ、冗談……そう、冗談に決まってるわ。こんなの、本物なら私にだって買えないもの。市場のお土産屋さんで本物っぽいのを買っておいて、こっそり持ってたんじゃないかしら。私をからかうために……）

スリランカは宝石の産地だから、内包物（インクルージョン）の多いくず石のようなものをうまく加工して、土産として売っていたとしてもおかしくはない。それにしては傷ひとつ見つけられないが……。そう思うことにして、怜衣は動揺を抑えようとした。

（ああ、そうなのよ、きっと……。びっくりした。箱は、お店の人に頼んで、買ったか譲ってもらったんでしょうね……。な、なかなか効果的なドッキリだわ……）

ハルは焦る怜衣を見て、からかうつもりだったのだろうか。引っ掛からなくてよかった、と、怜衣はにっこり、余裕のある笑顔を作った。

「どうもありがとう、ハル。……でも、石だけなんて、あんな高級店で売っているものなの？　それにせっかくだけど、宝石だけってどうやって扱えばいいのか……」

「ああ、自分の気に入った台座をつけたい人は結構いるから、店もいい石は表に出さず、隠し持ってたりするんだ。見た感じ、あんまりレイが気に入るデザインもなさそうだったし、船がサウサンプトンに着いたら、俺の知ってる店で指輪作ろ」

　ドッキリのボロを出さないか、少しつついてみたものの、ハルの受け答えには意外と隙がない。また、別の言葉が、怜衣をどきりとさせた。

（ゆ、指輪って……。きっと、深い意味は、ないのよね。もし石が本物なら、ただのプレゼントの範疇を超えてしまうけど、きっとドッキリで、イミテーションだもの）

　プロポーズ、婚約指輪、という言葉が頭の中でくるくると回転するが――考えすぎだろう。彼はまだ二十歳だし、交際を始めて間もないのだ。結婚なんて、早すぎる。

「知ってる？　イギリスのチャールズ皇太子が、ダイアナ妃に贈った婚約指輪についていたのも、スリランカのブルーサファイアなんだって」

　タイミングよくハルの口から婚約指輪という言葉が出てきてますます驚いたものの、その瞬間、怜衣の脳裏に浮かび上がった映像がある。

「……そうなの？　TVで見たことあるわ、ダイアナ妃のウェディングドレス姿。ものすごくきれいだった」

「俺もTVで見て憧れて、すごく目に焼き付いてる。だから、関節が隠れるくらいの大きな青い宝石を、いつか俺も、俺のお姫様にプレゼントしようって」

「……え？」

「そゆこと」

言い終わると、ハルはふい、と、窓の方を向いてしまう。

（……なに、それ）

怜衣はぽうっと顔にのぼってしまった熱をどうにかしたくて、何度もまばたきを繰り返した。

俺の、お姫様。

二十八歳の女にとっては、あまりに恥ずかしく、むず痒い言葉だ。

（もう。……偽物か本物かなんて、どうでもよくなっちゃったじゃないの……）

そんなふうに、ハルが大事にあたためていた夢を、怜衣相手に実行してくれたんだという事実が嬉しかった。きっと近いうちに、ドッキリの種明かしがあるのだろう。けれど、今手の中にある石がたとえ百円の価値しかないものだと判明した後でも、自分は大切にし続けるだろうな、と思った。

「……嬉しい……。ありがとう……」

船に戻った後、ハルは早速作業場を使って、バナナケーキを作ってくれた。

「えー。ハルが作ったの？」

「なにそれ、毒が入ってるんじゃないの？」

「最近だいぶ真面目になって、見直してたのに」

「ばーか！　毒なんか入れねーよ！　黙って食え！」

ティールームの閉店後、隅の丸テーブルをひとつ拝借して、厨房とホールのスタッフに声をかけ、小さなお茶会を開いた。製菓のスタッフは、後輩であるハルがお茶請けを作ると聞いて茶々を入れたが、手際のよさを見て少し驚いたようだ。

「お土産の紅茶が入りましたよ」

マリーがお茶を配る間に、ミシェルがパンパンと手を打って皆を集める。

「片付けは最後に皆で一気にやればいいから、とりあえず全員手を止めて、座って」

まだ就業時間内だったので、最初はなんのミーティングかと緊張した面持ちだったスタッフも、焼きたてのバナナケーキをつついているうちに、次第にほぐれてきた。

最近あった面白い出来事、変わったお客様、各自の近況や家族の話など、ハルとブラッド以外は女性スタッフということもあって、さすがよく喋る。

同じ制服に身を包み、黙々と手を動かしている時にはわからなかった、個々の性格の違いや人間関係が、こうして歓談している時にははっきりと浮き彫りになっていた。

怜衣としても、スタッフの興味関心や普段考えていることがわかって、思わぬ収穫だ。

皆が皆、怜衣と同じように、いつかは独立開業という夢を思い描いているわけではない。

英語の勉強のために。海外旅行に行くお金はないけれど、世界を知りたいから。なにもやりたいことがないので、そのなにかを見つけるために……。

この船に乗り込んだ理由さえばらばらだ。

怜衣が修行した店のように、ナンバーワンを競い切磋琢磨する環境もあれば、こういう場所もある。それが理解できただけでも、大きな収穫だった。

「こういうのも楽しいわね。忙しくない時を見つけて、またお茶会しましょうか」

皆の皿が空になった頃、怜衣が提案すると、製菓のスタッフが我先にと手をあげる。

「はいっ！　次は私がお茶請け作りたいです。故郷のチェリークラフティを！」

「私も！」

「ぜひ、持ち回りで！」

その様子に、ミシェルがあきれた調子で言った。

「あんたたちねえ、ボスが優しいからって調子に乗るんじゃや……」

「いいのよ、ミシェル」

怜衣はやんわり声を挟みつつ、ひそかに彼女に感謝していた。

ミシェルがいつもこうやって、嫌われることも辞さずに厳しいことを言ってくれるおかげで、職場にいい緊張感が保たれているのだ。

人を叱るのが下手な怜衣が迷いながら注意していたら、どうなっていたか。

しかし苦手だからと言って、いつまでも知らぬふりはしていられない。

　怜衣はいい雰囲気を壊さないよう気を付けつつ、部下たちに発破をかけた。

「ええ、いいわ。でも、私たちはお客様の口に入るものを作るプロの製菓職人ってことを忘れずに。お家で作るのとは違う緊張感と想像力を持って、やってちょうだい」

「ひー。プレッシャー。でもがんばりまーす」

「まあ俺はノーイマジネーションだけど」

「ハルっ！　あんたはどうしてそうひねくれた……！」

　ぼそっと茶々を入れるハルを、すかさずミシェルが怒鳴りつける。

　ハルはぺろっと舌を出してみせた。

「すみませーん。できる範囲内で適当にやりまーす」

「もうねえ、これだから今時のガキは……」

　大げさにミシェルが嘆いた途端、周りから笑い声があがる。

（意外とこの二人、いい組み合わせなのかも）

　思ったものの、言えばミシェルに本気で嫌がられるのがわかっていたので、怜衣は黙っていた。

　全員で片付けに入ったのを見届けると、怜衣は乾いた食器ふきんを持って、ティーカップを洗うミシェルの隣に立った。

「いいですよ、ボスがそんな」

「いいのよ」

乾燥機を使うほどの量はないので、洗い終わった食器から拭いていく。

「だって、休みの日じゃないですか」

「だから、普段できないことをさせてもらったわ。休みのおかげでリフレッシュできたし。ミシェルにはいつも助けられているわね。ありがとう。あなたもちゃんと、お休み申請してね」

「……いいえ。あたしはどうせ、することもないから、いいんです。仕事してる方が。……でも」

「なあに？」

「あの、ボス。さっきの話なんですけど。あたしも……」

珍しくもぞもぞと煮え切らない態度が珍しいと思いながら、怜衣は先を促す。

「うん？　聞かせて」

「あたしも創作菓子を考えることがあって——。べ、別に商品化を狙ってるとか、大それたことは考えてないんですけど、もし作ったら見ていただいて、その、感想だとか……」

「もちろんよ」

どうしてこのくらいの相談で緊張しているのかと可笑しくなったが、一瞬遅れて、緊張させているのは自分だと気付く。こんなことすら、言い出しづらい雰囲気を作っていたなんて。怜衣は自分を罵りたい気持ちを抑えながら、柔らかい声音でミシェルに言った。

「ぜひ、見せて。いつでもいいわ、遠慮することはないから」

「……ありがとうございます……」

「そんなにかしこまるなんて、変なミシェル。もしコンクールに出品するなら協力は惜しまないわ。……あなたもずっとセカンドじゃいられないものね」

「ボス！　あたしはそんなつもりじゃ……！」

「どうして？　夢があるのは当然のことだわ。それに、私、ミシェルの考えたお菓子、見てみたいもの」

　怜衣の言葉に、ミシェルは俯いた。

　沈黙の後、ざあざあと水の流れる音に紛れるようにして、囁きが落ちる。

「あたしは……センスもないし才覚もないし、セカンドがせいぜい……っていうか、性格に合ってるんです。ボスみたいな、素敵な菓子を作る人と出会って、その手伝いをするのが夢だったから、考えた菓子は、ボスに見てもらえればそれでいいんです」

　ミシェルの言葉が、怜衣の心に染みていく。彼女の信頼に応えたい、と強く思った。

「……そんなふうに言ってもらえて、すごく光栄よ。でも、あまり謙遜せずに……ぜひ、見せてね」

　少し声が震えてしまった気もするけれど、水音に紛れて、よくはわからなかったはずだ。

　――もし聞こえてしまっていたとしても、構わなかった。

　少しだけ恥ずかしいけれど、きっとそれだけだ。

七、招かれざる客と、恋人の秘密

その二日後。平常通り怜衣が仕事していると、部下がドアをノックした。

「ボス。お客様です。お約束はないそうですが」

「ありがとう、ナタリー。すぐ行くわ」

返事をしてから、少し気になったので、ハルを振り返る。

「きっと、前にいらした日本人のお客様よ。サプライズの話で見えたんだと思うわ。本当に、フィアンセ思いでいらっしゃって……」

「なんだよ、逆にわざとらしいだろ、それ。なんにも言ってないだろーが」

（……前は言ったじゃない）

一乗客を勝手に怜衣の元彼だと勘違いして大変だったから、誤解されないよう気を遣ったというのに。

ハルはちょうど教えたばかりのミルフィーユ作りに集中しているようだった。

（あれから、憑きものが落ちたみたいに普通の男の子になって……。夜の方も、無理やり道具を使うようなことはなくなったし。なんだか、同じ人だと思えない……）

遅刻も減ってきたし、仕事もきちんとやっている。いい兆候の気がした。

　客は奥まったところにあるソファ席で待っているということだったが、怜衣が帽子を取ってホールを見渡しても、渋澤の姿は見つけられなかった。ティールームにいるのは中年夫婦と女性の団体客ばかり。パソコンに向かっている男性客も一人いたが、赤毛だ。日本人ではない。怜衣が、おかしいな、と首を傾げた時、目の前にいる男性客がモニターから視線をあげた。あっ、と声がこぼれる。

「……ジェラルドさん？」

「アポイントもなしに訪ねて申し訳ない」

　先日豪華客船『ガーランド』を訪れた際、案内してくれたロイズの御曹司だった。

「今度、とは申しましたけど、まさか本当においでいただけるとは……」

「迷惑ではなかったかな」

「とんでもありません。ようこそ、『ディアマント』へ。先日はありがとうございました。

……でも、どうして突然、こちらに？」

「人気新造船の秘密を探りに」

「またご冗談を」

　でも、一体、いつ乗船したのだろう。

　昨日、今日は航海日だ。船は一切港に停泊せず、次の目的地を目指して航行している。

いくら『ガーランド』と『ディアマント』が近くを走行しているといっても、動いている間は、ちょっとお茶を飲みにあちらの船へ、というわけにはいかない。

「わざわざ『ディアマント』にお部屋を取られたのですか？」

「ええ。スリランカから乗っています」

「まあ、それは……」

変わっている。わざわざライバル会社の船に乗り込むなんて。

「先日言った通り、自分のところの船では、周りの目が気になって、のんびりできなくてね。少し息抜きがしたくて、こちらのキャプテンに頼み込んだんだ。僕がここにいることは、部下の数人しか知らない」

「お忍びですね」

「そう。ドバイに着いたら、またお付き合いの日々。せめて一週間の休日くらい許されていいはずさ」

休日と言いながら、ジェラルドの瞳にはパソコンディスプレイに表示された数字が映し込まれている。

「それに、気になることもあったし」

「……なんでしょうか？」

ジェラルドは曖昧に笑ってみせた。

（内緒、なのかしら）

　あまり突っ込んだ話を聞くのも品がないと思い、怜衣はさりげなく話題を変える。

「それにしても、タイミングよく空室があったのですね」

「そうそう。予約殺到の噂は聞いていたからね。たまたまロイヤルスイートに急病での途中下船があったとキャプテンに聞いたものだから。確か最上階の……何号室だったかな」

　ジャケットのポケットに手を入れたジェラルドの表情が、あれ、というものになる。

　両ポケットを探った後、しまったな、と呟くので、怜衣は気が気でなくなった。

「もしかして、ルームキーをなくされました？」

「ええ……まあ、いいですよ」

「よくありません。探しましょう。他の場所に入っているということはございませんか？　鞄はパソコンケースだけでしょうか？」

「そうですね」

　ジェラルドはパソコンケースにも手を差し入れるが、見つからない様子だった。

「とりあえずフロントに行って、止めてもらいましょう」

「後で行くから、お気になさらないでください」

「早い方がいいと存じます。クレジット機能もついていますので、万一のことがありましたら」

　『ディアマント』のルームキーには、機能が三つある。ひとつはルームキー。ひとつは船への出入りの認証。そしてクレジットカード機能である。

手ぶらで買い物やカジノなどを愉しめるのがメリットなのだが、その分、紛失等のトラブルには神経を尖らせなくてはならない。

怜衣はジェラルドを追い立てるようにして、共に階下のフロントデスクへ向かった。


「落とし物で届けられていたようだ。うっかりフロアで落としたらしい」

「履歴も確認されました？」

「ああ。不正利用の形跡はなかった」

「よかった……」

フロントスタッフから受け取ったルームキーをジェラルドに見せられ、少し離れたところで待っていた怜衣はほっと息をつく。

「シェフ・パティシエールをこんなところまで走らせてしまって。きちんとお礼しないといけませんね」

「お気になさらないでください」

「それでは僕の気が済まないので。こちらでお勧めのレストランはどこですか？　もしくは、明日時間をいただけるなら、インドで下船してもいいですね」

「いえいえ。本当に。スタッフとして当然のことをしただけですので」

「食事をご一緒いただくのは、どうあっても難しいでしょうか？」

怜悧な面差しに見つめられ、うまい辞退の文句が出てこなくなる。

（無邪気に、はい、とも言いづらいし……）

日本人同士なら、なんとなく空気で、相手が困っていることを察したりするのだが、外国人相手だとはっきりと、しかし相手のプライドは傷つけないよう、うまく言葉にしなければならない。怜衣にとっては不得意分野だ。

「……仕事がありますので」

「じゃあ、仕事が終わった後、バーにお付き合いいただけませんか。あなたが男に待ちぼうけの不名誉を与えない、優しい方と見越して付け込んでいるのですが」

「ジェラルドさん」

「実はお話ししたいことがあるのです」

淡々と話すジェラルドからは、異性を誘う下心は感じ取れない。

ビジネスに連なる話だと、怜衣の直感が告げていた。

（引き抜きとか、かしら……。それにしたって、今『ディアマント』を辞める気はないし、男の人と二人きりでバーなんてハルにバレたら、最近おとなしいあの子でも、なにをするかわからないわ……！）

嫉妬の挙句、客に殴りかかるなどしてしまったら、いくらハルが船長の肝いりでも、処分は免れない。ましてや相手は大会社の御曹司だ。怜衣が困り果てた時だった。

「ボス！」

思いもよらない声が聞こえて、ドキッとする。彼のことを考えていたから、最初は似た声を聞き間違えたのかと思った。しかし声の出どころを目で追ってみると、幻聴でもなんでもなく、ハル本人が従業員出入口の方から歩いてくるのが見える。

「ハル？　どうしたの」

「ボスに用があるって日本人客が、ティールームに来たらしいよ。……で、なにしてんの。フロントなんかになんの用？　この人と……」

　怜衣とジェラルドがいるところまで歩いてきたハルは、剣呑な雰囲気を纏っている。

　予想通り、否、それ以上にぴりぴりと尖った視線をジェラルドに浴びせるハルに、怜衣は誤解を正そうと口を出した。

「お客様がルームキーをなくされたから、フロントで処理を……」

「ふざけんな。今すぐ下船しろ！」

　いきなり喧嘩腰のハルに、怜衣は慌てる。やはり、客だろうがなんだろうが遠慮なしだ。

　ジェラルドも不躾な態度が不愉快らしく、冷ややかにハルを見返している。

　トラブルの前兆に体温が下がるのを感じつつ、怜衣は小声でハルを叱った。

「ハル！　お客様になんてこと」

「――久しぶりだな。ハロルド」

　いきなりジェラルドが口を挟む。

（……えっ？）

　思わず続きを呑み込んでしまった怜衣に構わず、ジェラルドは続けた。

「コックコートなんて着て。ここで働いてたのか。この前シンガポールで見かけた時、もしかして、とは思ったんだが。つまり彼女は、お前の上司なんだな？」

「………………」

ハルはじっとジェラルドを睨んでいる。

「ハル……。お知り合い？」

ハロルド、と耳慣れない名前で彼を呼ぶ、ジェラルドとハルはどんな関係なのだろうか。

怜衣が尋ねたものの、返事はなかった。黙ったままのハルを、ジェラルドが咎める。

「答えないのか。……兄に向かって、その態度はなんだ？　ハロルド」

「身内面すんな。きもちわりぃ」

「お前こそ、口のきき方を考えなさい」

「……にしてんだよ、こんなとこで」

「それはこっちの台詞だ。いきなり家を出て、父さんと母さんがどれだけ心配してると」

「白々しい言葉吐くなよ。俺がいない方が好都合なんだろ」

どういうことだろう。男性二人の低い声の応酬は、感情的でない分、聞いていておそろしいものがある。

（兄……？　ジェラルドさんとハルが……兄弟？　まさか、そんな……だって、ジェラルドさんはロイズの御曹司で……）

弟だというハルも、ロイズ一族の一員だというのだろうか。怜衣はハルからなにも聞いていない。そしてこのギスギスした空気だ。どうしてこんなに仲が悪そうなのだろう。

状況が飲み込めない怜衣は、ただ目をしばたたかせていることしかできない。だが、

「――まあな。お前はうちの恥だから」

氷のようなジェラルドの声に、ハルの目の色が変わるのがわかった。拳を強く握り締め、前に踏み出そうとするのを見て、怜衣は慌ててハルの元に駆け寄る。

「ハル！　私にお客様ですって？」

利き手に触れながら問うと、ハルは激情から引き戻され、戸惑うような目をした。

「客……。そう……上に」

「私はすぐ戻るわ。あなたは？　お兄さんとお話がある？」

「……兄、なんかじゃ……」

「ジェラルドさんはドバイまで乗船されるそうよ。急ぎの話がないなら、一旦仕事に戻りましょう。……ジェラルドさん、いいでしょうか。これから仕込みに忙しくなる時間ですので」

「……ええ」

我ながら強引すぎると思ったが、この険悪な空気をどうにかしなければと思ったのだ。

怜衣は手短にジェラルドに挨拶を済ませると、ハルを引っ張るようにして従業員出入口に向かった。

（どういう事情か知らないけど、とりあえず頭を冷やさせないと……）

歩き出した怜衣とハルに、ちらちらとフロントやラウンジのスタッフの視線が飛んでくる。あまり大きな声で話をしていたつもりはないが、意外と注目を集めていたようだ。

こんな状況でハルが手を出したら、ごまかしきれない。

バックヤードにいるスタッフの目を気にしながら、怜衣は小声でハルに問いかけた。

「本当に、ジェラルドさんとは兄弟なの……？」

「縁切ったから、他人だよ」

ハルはすげなく答える。

「家を出たっていうのは……」

「別に」

「別にって」

「いいじゃん。この話、したくないんだ」

これ以上踏み込むな、と突き放されたような気がしたが、どうしても気になる。

（家を出たって……家族と縁を切ったって、どういうことなの……？　ジェラルドさんとの、あのギスギスした雰囲気……。なにがあったの？　そもそも、どうしてロイズの御曹司が、ライバル会社の船でパティシエ見習いなんて？）

考えれば考えるほど混乱してしまいそうだった。

普通なら、採用面接や履歴書を通して少しは個人情報が入っているはずなのだが、ハルは船長から直接預かったので、怜衣は彼の家族構成もなにも知らない。

（キャプテンは、ロイズの社長と旧知の間柄だっておっしゃってた。きっと家族ぐるみのお付き合いで、ハルとも以前から知り合いだったんだわ……。それでジェラルドさんの乗船も許可……、って、兄弟仲が悪いことをキャプテンはご存知なかったの？　ハルは言わなかったのかしら……）

こんな気まずい雰囲気になってしまうことを知っていたら、ハルに相談なくジェラルドを乗せないと思うのだが。

（事情が気になる……。でも、ハルに釘を刺されてしまった……）

確かに、上司として、部下のプライベートに立ち入るのは望ましくないことなのかもしれない。しかし、自分たちは付き合っているはずではないのか。

（そりゃ、私も家族の話なんて、今まで訊こうとしなかったけど……）

「聞いてんの、レイ」

「えっ、ああ、うん……」

「レイったら。エレベーター。ついた、デッキ十三！」

はっと前を向けば、いつの間にかハルはエレベーターを降りていて、一人取り残された怜衣の前でエレベーターの扉が閉まりそうになっている。慌てた瞬間、前から手が出て、閉じかけた扉をこじ開けた。

「降りるんだろ」

「……ええ。ありがとう、ハル……。じゃあ、私はお客様のところに行かなくちゃ……」

ぐるぐると考え事をしながらハルと別れ、しばらく歩いてはっとする。

（……待って。私、恋人に本名すら教えてもらえてなかったってこと……？）

ジェラルドが呼んでいた、ハロルド、というのが、おそらく彼の本名なのだ。

ハル、というのは愛称であって、偽名ではないのだろうが、それでも大事なことを教えてもらっていなかったという事実に、怜衣は打ちのめされた。

「……と思っているんですが。三嶋さん、大丈夫ですか？　体調が悪いようでしたら、また改めて伺いますが」

「あっ、はい」

（……最低だ、私）

目の前に座っている渋澤の声音には、心配以外は含まれていなかった。話に集中していなかったことを、責められないのがつらい。余計なことは考えないようにしよう、と念じれば念じるほど、仕事に関係ないことが頭の中で膨れ上がって、客の声をさえぎる。

「すみません。無理を言って何度も付き合っていただいて」

「いいえ。指輪、拝見したいとわがままを申しましたのはこちらですのに。申し訳ございません。……素敵ですね」

紺色のリングケースに収められた白銀の輝きが、何度も怜衣の目を射た。リングの中央で輝くダイヤモンドはびっくりするくらい大きい。

(……まごうかたなき婚約指輪ね)

指輪自体もすばらしいが、今まさに幸せな結婚に踏み出そうとしている渋澤たちと、ハルとの関係に不安しか感じられない自分との対比に落ち込んでしまう。

スリランカでハルにもらった裸石は貴重品入れにしまってはいたが、

(私はハルのこと、なにも知らなかった……教えてもらえていなかった。そんな浅い関係なのに、〝お姫様〟なんて言われて、浮かれていたなんて。虚しい……かも)

まさか本気のプロポーズとは思っていなかったけれど、それでも心境は複雑だ。あれは、付き合っている間だけ相手を酔わせる、口先だけの嬉しがらせだったのだろうか。

まるで、魔法が解けたような気分だ。

けれど、私情で目の前の幸福な人を羨んでいても仕方がない。

「お連れ様、きっとお喜びになるでしょうね」

心を込めて怜衣が言うと、渋澤は突然顔を曇らせた。

「そう……でしょうか?」

「ええ。ご覧になったら、感激されるのではないでしょうか」

「……そうだったら、どんなによかったか。でも、実際は違いました」

「違う? もしかして、もうお見せになられたのですか?」

「ええ。実は数カ月前、彼女にこの指輪を渡そうとしたんです。僕の部屋で。でも……彼女は、指輪を見た瞬間、浮かない顔になって」

「え……？」

「受け取りたくないと言われました。……理由はわかりません。何度も尋ねたのですが、彼女自身もうまく言葉にできないようでした。特に喧嘩などもしてなかったし、このままいけば結婚……という空気はあったのです。なのに……」

幸せの絶頂にあるように思っていた渋澤にも、思ってもみない悩み事があるようだった。

「……すみません。その、あなたに、こんな話をして」

「いいえ。もしかしたら、たまたま虫の居所が悪かったとか、気分が不安定だったとか。別の心配事が影を落としていたのかもしれませんよ」

声のトーンを明るくして、励ますように言うと、渋澤も笑顔を作った。

「そうですね。僕も悪かったんです。指輪を渡すなら、レストランくらい予約すべきだったのに、仕事が忙しいのを言い訳にして、しばらく彼女にきちんと向き合えてなかった。だから、もう一回、ちゃんと準備してやり直したいと思い、船の予約を取ったんです」

「そうだったんですか……」

「はい。三嶋さん、アシェット・デセールのラフスケッチ、ありがとうございました。あのチョコレートの宝石箱の線で、カサブランカの飴細工を添えてください」

「かしこまりました」

「よろしくお願いします」

渋澤は怜衣が渡した資料とリングケースを鞄にしまうと、立ち上がった。

見送りに出ながら、怜衣はつくづく自分は思慮が足りない、と反省する。恋の沼に落ち、予測通り物事が運ばないことに思い悩んでいるのは、自分だけではないのだ。

どんなに条件が恵まれているように見える人でも、皆、それぞれの理由でつまずき、悶々とした気持ちを抱えたりしている。

うまくいきますように——。

あまり、他人のことに思いを馳せている余裕はない状態なのかもしれないが。

がんばりましょうね、お互い。

そういう気持ちを込めて、怜衣は渋澤の背中を見送った。


「っ……、ああ！　んっ、やだっ、はげし……！」

背後からハルの肉棒に激しく穿たれ、怜衣はなけなしの理性で抗議する。

「ぁっ……！　やぁ、そこ……ぁ、ああ」

怜衣が枕に伏せていた顔をあげて息を整えようとした瞬間、ハルの指に淫芽を押され、力が抜けて再び倒れ込んでしまう。

「……も、う……っ、……はなし、……したい、って、ぅあ、っひ……ん……！」

「言えてない」

「ハ、……ルっ！　ん、ゃ……、ひぅ」

「ね、レイ、俺、いきそ……。一緒にイこ……」

肌から直接染み込むような低い声にぞくんとした瞬間、理性が飛んだ。

深くえぐるようだった抽送が、たがを外したように荒々しく勢いを増して怜衣を襲う。

「あ、あ、あ、っ、ああんんっ」

喘ぐしかできない怜衣の腰に、ハルの指の感触がぐっと食い込んだ。痛い。けれど、激情の表れのような強さが、嫌いではない。求められていると、実感できるから。

「っ、っ……あ、あ、っあ、ハル」

「レイ……っ、は」

皮膚がぶつかる音に合わせて、頭の中が揺れるほどの強い快楽が何度も押し寄せてくる。

「ぁ、く……っい、くる……ぅ」

最奥まで貫かれた瞬間、どくっ、と、ふたつの体が大きく脈打った、気がした。

少しずつ弛緩する体の奥で、ハルの楔がとくん、とくんと脈打つ感触を味わいながら、怜衣は息を吐き、ゆるやかな酩酊に身を任せる。

少ししてから、ハルは立ち上がって避妊具を処理し、再び怜衣の隣に横になった。

「……ん……」

いつからか、髪を梳かすハルの指の感触だけで、怜衣の全身に甘い電気が走るようになってしまった。容赦なく怜衣を追いつめ、狂わせる行為の後に、自分よりあたたかく大きな掌に優しく触れられる悦びが、全身を包み込む。つい、そのくすぐったく幸せな瞬間のまま眠りに落ちたくなってしまうのだが、今日はなんとかこらえ、目を開けた。

「ハル……」

「なんか、ヒョウが仔ネコになっちゃったみたいだね。レイ。かわいい」

「ねえ、ハル。話して、くれないの？」

「なにをさ」

わかっているくせに、ハルはわからないふりをして、怜衣の唇にキスをする。

「だって……、ん……。変、じゃない、ハルのご両親やジェラルドさんのこと、私、なんにも知らないなんて……こら」

クリームを舐め取るような舌の動きで唇の輪郭や内側に触れられると、それだけでぼうっとなってしまう。

「もう……真面目に、話してるのに」

「俺だってレイの家族のこと、知らないし」

「神戸にある……洋菓子店の娘よ。ごく一般的な両親に、独り立ちした弟が一人」

「……うちは両親と、兄が一人」

「ジェラルドさんとは……じゃあ、本当に兄弟なのね」

「似てないのは母親が違うから」

なんでもないこととばかりにさらりと言われ、一瞬怜衣の頭が真っ白になった。

「兄貴は出来がいい跡継ぎで、俺はご覧のありさま。色々面倒になって、家、出たんだ。だから家の話、嫌い」

「そう。……ごめんなさい」

それ以上尋ねてはいけない空気を感じ取った怜衣は、咄嗟に謝ってしまった。

「万一あいつがなにか言ってきても、関わり合いにならないで」

「うん……」

ハルはそれきり、黙ってしまう。

もっとなにか——ハルの本心を聞くことができたら、怜衣は安心できるのかもしれない。

けれど、話したくないというのも、ある意味、彼の本音だ。

怜衣の自己満足のために、無理強いはしたくない。しかし……。

髪を撫でるハルの手がやがてシーツに落ち、そばで寝息が響き始めても、怜衣は寝付くことができずにいた。

八、愛と疑念、狭間で揺れる恋心

その日、『ディアマント』のプールサイドでは星空の下、大規模なバーベキューパーティが行われている。一帯にいい香りの煙が充満する中、怜衣は従業員出入口から私服姿で紛れ込んだ。持っている銀皿を誰かにぶつけないよう注意しながら、人混みの中から探している相手を見つけだし、声をかける。

「キャプテン」

「レイ。退勤後に悪かったね」

「いいえ。お待たせしまして」

「おーい。ギモーヴが来たぞー」

船長がひと声かけると、周りでビールを飲んでいた客たちが集まってきた。

「来た来た！　待ってたよ」

「やっぱりバーベキューにはコレがないとね！」

客たちは歓声をあげ、串に刺さったマシュマロに手を伸ばし、我先にと炭火のところに急ぐ。人の波が一段落したところで、船長が言った。

「すまない。これだけちゃんとしたギモーヴを火で炙るなんて、野蛮だろう。私の親愛なる酔っ払いたちが、無理を言ったね」

「いえいえ。盛り上がっていただけて、嬉しいです」

普段はスーツ姿で厳めしい顔をしてデスクについていそうな男たちが、競うようにマシュマロを炙ってあちあちと笑い合っている。クルーズって、いいな。そう思える一瞬だ。

涼しい風に当たりながら、賑やかな輪を見守っている怜衣に、船長が言った。

「君をこの船に呼んでよかった。僕の目は間違ってなかったな」

「なんですか、唐突に。〝浪漫〟のお話ですか？」

照れ隠しに船長の口癖を口にすると、そうだとも、と彼は自信満々に請け合う。

「君の腕には、とっくに惚れ込んでいたけどね。今はそれ以上の、『ディアマント』の象徴とでもいうべき存在になってくれた」

「あんまり褒めていただくと、後が怖いような」

「怖くないさ。想像してご覧、君が前いた店の先輩たちだったら、誰一人として、自分が精魂込めて作ったギモーヴを焼かせてはくれなかっただろう」

「私は自分の作ったお菓子で誰かが幸せになれるのなら、焼かれようが、煮られようが、構いません。それだけのことでしょう」

「それだけなんかじゃない。すごいことなんだよ。僕は人を見る目があるんだ」

船長の言わんとすることはよくわからなかったけれど、彼が銀皿に残ったマシュマロをつまみ食いして、少年のように笑っているのが嬉しかった。

　見つめられ、微笑み返す。包容力のある慈しみ深い視線に晒されているうち、ほろり、と声がこぼれ落ちていた。

「キャプテンが紹介してくださった、見習いのハルの……ことなんですけど」

「うん。がんばっているかい？」

「はい。……彼は、どうしてこの船に？　いわば、おうちのライバル会社、ですよね」

「ハルがロイズのことを喋った？」

「……少しだけですが」

　言いながら、怜衣は気が咎めた。ハルが進んで喋ったわけではない。ジェラルドとのいざこざのせいで、知ってしまっただけだ。

「そうか。彼がね、家のことは伏せて欲しいと言ったから。言わなくて悪かったね」

「……彼がそれ以上のことを話してくれるまで、待つべきなんでしょうか……」

　口火を切ったのは怜衣だったが、言葉を継ぎながらずっと後ろめたい気分が抜けなかった。人づてに探るなんて、恥ずべき行為かもしれない。

　船長はそんな怜衣の心の声を聞いたかのように、肩に手を置き、言った。

「部下のことを知ろうとするのは、悪いことじゃないよ、レイ。……彼は……ハルは最近、少し雰囲気が変わったね」

「そう、思われますか？」

仕事中もプライベートの時間も、ほぼずっとハルと一緒にいる怜衣は実感が薄かったが、確かに以前の彼に比べると表情も豊かになり、明るくなったように思う。

「ああ。僕は小さい頃から彼を知っている。とてもいい子だよ、昔も、今もね。ただコミュニケーションがあまりまっすぐじゃない。愛情をかけられることに慣れていなくて、相手に迷惑をかけてどこまで許してもらえるかで、愛情をはかるようなところがある。心当たりは、あるかな？」

「……はい」

「製菓や他の部署で、好き勝手なことを言い散らすのも甘えのひとつさ。気に入ったものほどケチをつけてしまう子供っぽさは、僕にも共感がある」

「……あの子は、とても正直なだけ、なんですよね」

「そう。それは彼の大切な個性だ。なにより彼は船が好きで、船に魅せられた仲間同士、僕たちはずっと前から仲よしだった。遅めの反抗期を迎え、家を出て荒れた生活をしていた彼をここに呼んだのは、単純に、彼は船のそばにいた方がいい、そう思ったからだ。誘ったらOKしてくれて、製菓に入りたいと言った。それで……」

「……そこのところが、いまいち解せませんけどね」

今のところ、ハルは熱心にやってはいるけれど、しかし生涯をかけた仕事にしようとしているようには見えない。

（言い方は悪いけど、腰掛け、のような）

怜衣はずっと違和感を持っていた。彼はどう見ても、パティシエになる夢を抱いて、ここに来たようには見えなかったから。今回の件で、腑に落ちたところがある。

荒れた生活、と船長は言った。それがどの程度のものだったのかは想像する他ないが、少なくともその生活をやめ、興味本位でも、製菓で働き始めた。大きな進歩だ。

「君に預けて、よかった」

船長の声に、怜衣はなんとなく、この人は自分たちの関係を知っているのではないか、という気になる。咎めたりからかったりするような響きはないけれど——。

怜衣が口を開いたその瞬間、少し離れたところにできた酔っ払いの輪の中から、船長を呼ぶ声がする。船長はそちらに視線を送った後、もう一度怜衣に向き直った。

「じゃあ、レイ。夕食がまだなら、食べてお行き。ロブスターもホタテも肉もある」

「ええ。キャプテン」

「いい夜を」

怜衣はマシュマロの皿を船長に預けて別れ、大勢の客の中を泳ぐように歩き、デッキを囲む手すりのそばまで行った。

(……ハル)

真っ暗い海を見ていると、彼の顔が浮かんでくる。

(居場所がなくて家を出て、世界中を回る船に乗って、……あんなに若いのに)

弱音を吐くところなど見たことがないし、むしろ態度が大きすぎて問題になるくらいなのだが、それでも怜衣は、思う。ハルのために、できることがあればいいのに。なにか、自分にできることはないのだろうか……。

　バーベキューの喧噪と海の狭間に佇んで、思案していた時だった。

「あれ。レイさん」

「……ジェラルドさん」

　後ろから声をかけられ、振り向いてみれば、意外な人の姿を見つける。こうした場所には足を踏み入れないようなイメージがあったので、怜衣はびっくりしてしまった。

「ハロルドも一緒ですか？」

「いいえ。あの……ご兄弟で、いらっしゃったんですね」

　なぜかハルと一緒にいて当たり前のように言われたことに戸惑っていると、

「ええ。レイさんは、あいつの、恋人ですか」

「……どうして」

　驚いて、声が喉で固まってしまう。が、ジェラルドは肩を竦めて言った。

「どうしてもなにも。あいつに隠す気がありませんでしたから。執着が強いでしょう、あいつ。昔からそうなんです、夕食にアカザエビ（スカンピ）が出た日なんて、もう全部自分のだって宣言するようなすごい顔するし」

「……ふふ」

　笑っていいところなのか少し不安だったので、控えめに声を洩らす。

怜衣の緊張が伝わったのか、ジェラルドは断りを入れた。

「ああ。構えなくていいです。別に弟のそういうことに干渉しようとは思っていません」

「あの……まだ最近のことですし、ご家族の方にご挨拶できるような仲かどうか……」

「いいんです。……レイさん。家の事情について、あの後あいつの口から聞きましたか」

「……はい……」

「……自分から補足してもいいだろうか。あなたに知っておいてもらいたいことが……」

「待って、ください」

心の準備ができないまま、色々なことが進展していくのが怖くなって、怜衣はジェラルドの言葉をさえぎってしまった。

「あの……伺うことがいいことかどうか、まだ私にはわからないのです。ハルが私に話す気になってくれるまで、待つべきかと——」

ジェラルドは一瞬、怜衣に哀れむようなまなざしを送った後、声のトーンを落とす。

「あいつは多分、言わない。……言えないと、思う」

ジェラルドの醸し出す重い空気に、心臓が冷たい水を浴びたようになった。

「……そんな、大事なことでしたら、尚更……」

「レイさん。勝手なことを申し上げるようですが、あいつを助けられるのはあなたしかいない。恋人の、あなたしか。恥を忍んで、お願いしたいことが——」

あまり表情を出さないジェラルドの渋面が、話の重大性を表しているようだった。

怜衣は両手をぎゅ、と握り締める。大事な、局面だ。これから先、ハルと一緒にいられるか、――離れなくては、ならないか。そういう決断が求められる――ジェラルドがしようとしているのは、そういう話だと、直感が告げる。

（これ以上家族のことに勝手に立ち入ったら、ハルに嫌われるかもしれない。間違いなく、嫌な気持ちにはさせてしまう。でも、知らずにいたら……後悔する、かもしれない……）

聞いてから判断すればいい、と思った。聞いたことを忘れるか、どうするかも含めて。

（なにか、私にできることがあるのなら……）

ハルの力に、支えになりたい。

「……聞かせて、いただけますか？」

怜衣の言葉に、ジェラルドは真剣な顔で頷いた。夜の海が、鈍い潮騒を響かせている。

「それで――ハロルドからは、どこまで聞きましたか？」

ジャケットをソファの背に無造作に放って、ジェラルドは向かいのソファを怜衣に勧めた。怜衣はさりげなく部屋の様子を確かめてから、そこに座る。

世界的な大富豪一族のプライベートの話だ。人の耳を警戒し、ジェラルドの取った客室に招待されるのは自然な流れだったが、いくら恋人の兄といっても、男性と密室で二人きりとなることに、女性として警戒はしてもしすぎることはない。

しかしそこはジェラルドも配慮してくれたのか、勧められたソファは入り口に近い側で、向かいに座る相手とはテーブルひとつ挟んで結構な距離があった。なにかあれば、すぐドアに駆け寄れる。その事実は怜衣を安心させた。

「ああ、なにか飲みますか？　冷蔵庫になんでも入っていたと思うが」

「いえ、大丈夫です。……私がハルに聞いたのは、彼が家を出たということだけ。それと、……ジェラルドさんとは、異母兄弟だと」

口にして改めて、とても個人的な、自分だったら進んで誰かに話したいとは思えないような話に、土足で踏み込もうとしている、その事実が胸に染みた。

「そう。僕の母が病気で亡くなり、父が再婚して後妻との間にできた子がハロルドだ」

「……はい」

硬い表情の怜衣とは対照的に、ジェラルドは話し慣れた様子で言葉を紡ぐ。

「僕たちは仲のよい兄弟だったよ。あいつが家を飛び出すまでは……。歳が十、違うからね。かわいかった。——我が家というのが、先日話したけれど、ロイズ・ラインの創業者一族だが、いずれ父の後を継いでグループ社長となる僕の、あいつは右腕になるって約束してくれて——。ジュニアハイスクールの頃までは、本当に素直ないい子だった」

「…………」

怜衣の知らないハルの話をするジェラルドの顔は、いつもより少し優しかった。

「でもだんだん我が強くなって、父と喧嘩が絶えなくなり……。学校をやめて、家を飛び出したのは十七の時だった。その後は連絡ひとつよこさず、どこでなにをしているのかすらわからない状態で、父も義母も心配している。まさか、プラティヌの豪華客船で働いているとはな……それも、なにを思って突然、パティシエなんて」

「……家で普段からお菓子作りをしていたのでは？」

「いや、まったく。少なくとも僕は知らないな。義母は料理をする人ではないし、キッチンは使用人の管轄だし」

「そうなんですか……」

あのバナナケーキは、誰のレシピだったのだろう。

「どうして……うちで見習いをやりたいなんて言ったのかしら……」

「あなた目当てだったりして」

「ありえません」

怜衣は一笑に付したが、ジェラルドにふざけている様子はなかった。

「あいつ、恋に盲目的なところがあるから」

「……そうですか？」

ハルは女性に不自由したことがなさそうだったので、ジェラルドの言葉は意外だ。

「子供の頃、家庭教師に惚れてね。熱心に家まで追いかけ回していたが、あれは今で言うところのストーカーだ」

「まあ……」

「好きなものには一直線で、他のものには目もくれない……。未だに子供っぽいところのあるやつだ。一昨日、あなたに向かってくるあいつを見て思ったよ、ああ、宝物を見つけたんだなと……」

「……こういう関係になってまだ日が浅いんです……。誰にも言えていませんし、まさかお兄様に一番に知られてしまうなんて……」

ちょうどハルの中で自分がどういう存在なのかわからず、自信がなくなっていた時だ。

ジェラルドの言葉は、怜衣がひそかに抱え続けていた不安に光を照射した。

彼は少し黙った後、まるで自分の気分を入れ替えるように、足を組みかえる。

「……うるさいことを言って干渉する気はないと言ったが、実のところ、心配していることがある」

眉間に深い皺を刻んで、ジェラルドは言葉をそこで切った。

「……なんですか」

先を促す言葉に、ジェラルドは視線をあげて、怜衣の目を見る。

「レイさん。あいつのせいで、なにか困っていることはありませんか？」

「……いえ。特には……」

彼がなんのことを言おうとしているのかわからなかったが、最近は周囲との軋轢も減ってきたし、怜衣に拘束道具も使わなくなったし、たまの寝坊くらいはまあご愛嬌(あいきょう)だ。

「僕はあいつがここで働くことには賛成できない」

「そんな……。ジェラルドさんもおっしゃったじゃないですか。ハルは少しわんぱくですけど、常識に縛られない視点は職場に風穴を開けてくれています」

「常識に縛られないのも、行きすぎれば、わんぱくでは済まない」

「たとえば？」

「法を犯す。……泥棒とか」

一瞬、呼吸が止まった。

「……ジェラルドさん」

「まだ職場でそういう問題は起こしてないんだね？　それなら、とりあえずよかった」

「まだって……どういうことですか」

「レイさん、ここ限りの話にしてくれるね」

「……はい」

ジェラルドは念を押してから、言った。

「家を出る時、ハロルドは父の金を無断で持ち出した。小切手で五十万ポンド」

「――冗談でしょう？」

五十万ポンドといえば、日本円で一億円にもなる。まったく現実感のない金額だ。

しかし、船長の言っていた『荒れた生活』という言葉が、今になって効いてくる。

学校中退……家出……不良少年……。怜衣の頭の中で渦を巻いていたそれらの言葉が、濁流となってひとつの結論に流れ込もうとしていた。

「まあ家の中でのことなら、家族が口をつぐめばそれで終わる問題だが、もし職場で――よりによってライバル会社で面倒を起こされた日には、大きな醜聞になってしまう。法だの規範だの、あいつの中では、どうでもいいことなのかもしれないが……」

「そんな……ハルがそんなことをするとは思えません。なにかの間違いでは……？」

「残念ながら、事実なのです。あなたもなにか心当たりはありませんか？　あの年齢に見合わず金回りのいい……高額な買い物をしているところを見たとか、賭け事とか」

「……さあ……」

怜衣は、表情に出すのは必死に堪えたものの、膝に置いた手が震えた。

（……高額な買い物……。スリランカでもらったあの青い裸石が、正真正銘あのお店で買った本物のサファイアだとしたら……）

数百万円、いや、数千万円するだろうか。見習いパティシエがそんな金額を支払えるわけがないと、可能性を吟味することすらしなかったが、状況を考えると、あの宝飾店で普通に買い物をしたと考える方が、自然ではあった。

（あれは……ハルのお父様の、お金で……？）

ぞくり、と冷たいものが怜衣の背筋を這う。あの石は、受け取ってはいけないものだったのかもしれない。家族が相手でも、窃盗は犯罪だ。貴重品入れにしまいっぱなしにしてある青い石が、俄然おそろしいものに思えてきた。

「レイさん、頼みがある。僕はあいつを前科者にしたくはない。ここで問題を起こす前に、管理職権限であいつを解雇してくれないか」

「……え?」

「四日後にはドバイだ。僕は大事な商談があって、そこで降りることになっているから、ハロルドも船から降ろして欲しい。そうすれば、人目につかないように家に戻せる」

「そんな、四日以内に、正当な理由もなく解雇なんて……」

「別の寄港地でもいい。どこで降ろすか事前に教えてくれれば、その後は万事……」

「ジェラルドさん! 待ってください」

強引な展開について行けず、怜衣は思わずジェラルドを制止してしまった。

どうして、と言いたげな視線を受け、怜衣は下を向き、必死に理由を考える。

「その、……恋人の欲目とおっしゃるかもしれませんが、ハルがそういうことをする子だとは……私にはどうしても思えないのです……。製菓では大きな現金を扱うことはありませんし……そういう目的で入る部署だとは思えませんわ」

本当は、ハルが家の金を盗んだということだって信じがたい。しかし、わざわざジェラルドがこんな嘘をつく必要があるのだろうか。ハルについて悪い噂が立てば、痛手をこうむるのはロイズ一族なのだ。

(どういうことなの……? なにか、ハルに特別な事情でもあったか、不幸な思い違いでこんなふうになっているのだと思いたい……)

膝の上で組んだ手に力を込める。そうしていないと、全身の力が抜けてしまいそうだ。

「レイさん。僕は、あいつが金目当てでそちらに潜り込んだとは言っていない。いいですか。ハロルドは生まれてこの方、金に不自由したことはない。なのに盗んだ……。生活苦から起こした犯罪とはわけが違う。もしかしたらあいつは、もらった、くらいの軽い気持ちでやったことなのかもしれない。欲しいものを我慢できない子供のように……。罪悪感がない分、性質が悪いと、僕は思いますが」

「……ジェラルドさんがおっしゃっていることはわかります。しかし……」

「……あなたの職場には現金はないけれど、一部の人間が喉から手が出るほど欲しがる類の、価値のあるものがありますよね。……あなた自身。より正確に言うと、世界的なコンクールで優勝したあなたのレシピ——」

「……まさか！」

怜衣は否定したが、声には動揺が露わに浮かんでしまった。

パリに修行に出て間もない頃できた恋人にレシピを盗作された時の、屈辱と悔しさ、悲しさが、瞬間的に蘇る。誰も信じない、身に着けた知識と技術以外はなにも——。そう呪いのように自身に刻み付けた、あの時の感覚。

（……最初にハルが私の部屋に来たきっかけは、バーに置き忘れた手帳を届けてくれたことだった。でも、あの日、私は本当にバーで手帳を落としたのかしら……？）

もし仮に、作業室にハルを呼びつけて説教した時に盗られていたとしたら、中を写す時間の余裕は充分あったはずで——。そこまで考えて、怜衣はぶるりとかぶりを振った。

(いや。恋人を疑うなんて。でも、私を好きだということさえ演技だったとしたら？)

一度生まれた猜疑心から、すべての状況に疑念が湧いていく。

(ああ。どうしよう……)

怜衣は心を落ち着かせるために、手で顔を覆って、深い息を吐く。一緒に血の気まで失せてしまったようで、ふらり、とめまいを感じた。手を外して顔をあげると、ジェラルドがじっとこちらを見つめている。

「ショックでしょう」

「ええ……」

いいえ、違う。まだこんなひどいこと、信じたわけではない、と怜衣の心が叫んだ。

「信じたくない気持ちは、痛いほどわかります。僕も、……たった一人の弟のことを、こんなふうに言いたくはないんだ。僕だけは、信じていたかった……」

ジェラルドの言葉と怜衣の不安がシンクロする。片方の言い分だけ聞いて判断してはだめだと、わかっていた。けれど演技にしては、ジェラルドの感情が真に迫りすぎている。

「……すみません。気分が」

限界、だった。いつの間にか、怜衣は片手で口を覆っている。

気分が悪いのか、泣きたいのか、自分でもわからない。

「気付かず、すみません」

怜衣が腰を浮かせると、ジェラルドは立ち上がった。ドアを開けてくれるので、礼を言いたかったが、会釈するのが精一杯だった。きっとひどい顔色をしているのだろう。

周囲に誰もいないことを確認してから、ジェラルドは廊下に出してくれる。

「レイさん、つらくても、自分の立場を第一に考えなくてはならない。部下で恋人であるあいつが問題を起こしたら、あなたの責任問題にもなる。早い方がいい」

そう囁かれ、怜衣にはもう一度会釈することしかできなかった。


柔らかい絨毯が敷かれた客室フロアの廊下から、いつリノリウムの従業員用通路に出て、自分の部屋に戻っていたのかわからない。ドアを開けると、ベッドに座っていたらしいハルが立ち上がる。人がいると思わなかった怜衣は、思わずびくっ、と体を竦ませた。

「こんな時間に、どこ行ってたの？」

何気ない言葉も、見知らぬ男の声に聞こえる気がしてしまう。自室に毎日のように訪れるハルが、部屋で待っている可能性を失念してしまうくらいに、怜衣は動揺していた。

「……バーベキュー会場にギモーヴを届けに」

「へー」

怜衣はポーカーフェイスを心がけたが、いつもよりそっけない声になった感は否めない。

ハルは怜衣の髪に顔を埋めるようにして匂いを嗅いでから、

「ほんとだ」

と言って、挨拶のようにキスしようとしてきた。

（……どうしよう……）

　本心を言えば、混乱している今、甘い気分にはまったくなれなかったが、無理に拒否すれば訝しがられる。ハルに直接訊きたいことは山のようにあったが、今口を開くと、整理されていない感情が溢れてしまいそうだ。結果的に、思ってもいないことを口にしてしまうかもしれない。

　とりあえずいつも通りにしていようとじっとしていると、唇に触れる寸前でぴたりとハルは動きを止めた。

「どうしたの。レイ。調子でも悪い？」

　鋭い。

「え？　……ええ……」

「顔色がよくないな。……あ、バーベキューで生焼けのもの食ったんじゃね？　逃げ場のない船でノロ流行とか、最悪の状況じゃん。しかも従業員経由で……」

「そ、そこまでじゃないわ……」

「どーだか。ちょっとでも発症したら数日部屋に缶詰めだぜ。感染されないようにしないとなー」

「……そうしなさい。少し胃もたれしただけだと思うけど。シャワー浴びておとなしくしてるわ」

　胸の辺りがむかつく感じなのは事実なので、嘘をつく罪悪感は少なかった。

「へへっ、明日ティールーム営業停止かなあ」

「……嬉しそうね」

「一晩中看病してあげようか。子守歌でも歌って」

「自分の部屋に帰って、寝て」

年上らしく威厳を持って命じると、ハルは怜衣の頭を撫で、おとなしく引き下がった。

「……しょうがないな。なんかあったら内線で呼べよ」

「うん。ありがとう」

なんとかハルを自室に帰すことに成功し、ふう、と息を吐いたが、胸のつかえは取れなかった。怜衣は服を脱いでシャワー室に入り、水のカランを捻る。冷たい水で体に喝を入れながら、ジェラルドとの話を思い返した。

（……だめだわ。やっぱり、どうしたらいいか、わからない……）

誰かに相談できるような話でもない。

一旦心を落ち着けてからハルと話すしかないのはわかっていたが、綿密に話を組み立てないと、彼のペースに巻き込まれ、うやむやにされてしまうだけだろう。

（嘘も本当も、見分けがつかないのに。あの子が『信じて』って言ったら、もうそれで、私には頷くしかない……）

あたたかいハルの体温。お姫様と呼んだ甘い声。怜衣の髪を撫でる優しい指……。

彼の腕の中が、怜衣にとって一番居心地がいい場所になってしまった。

手放したくない――という執着は、人を、だめにする。

理性も事実もかなぐり捨てて、この関係を守りたくなってしまう。

（……ジェラルドさんの話が本当なら、いざという時、いろんな人に迷惑がかかってしまうのに）

感情に振り回されて愚かな選択をしてしまう女にはなりたくない。どうしたらいいのか。

何度も冷水で顔を洗った後、怜衣はシャワー室を後にした。ドライヤーで髪を乾かし、部屋に戻ると、ベッドの上で胃薬や整腸剤などの市販薬が、小さな山を作っている。

「……日本の薬もある。……ハル……」

医務室にかけあったのか。それとも、友人たちからかき集めてくれたのだろうか。

嬉しいという気持ちがこんなに胸を苦しくさせることを、怜衣は初めて知った。

（私……ハルが好きだ……）

胸がつっと痛んだと思ったら、頬の上を涙が一筋、流れていく。

（いつの間にか、本気で好きになってる。だからこんなに、ジェラルドさんの話がショックなんだわ……）

解決方法など、以前の怜衣なら迷わなかっただろう。自分の感情を交えず、ハルについてこういう忠告をされたと船長に報告して、指示を仰ぐのみだ。

きっちり白黒をつけることのできるその選択肢を、無意識のうちに避けていたのは、怜衣自身が、本当のことを知るのが怖いから。事実を知ったせいでハルと離れなくてはならなくなったりしたらと思うと、耐えられない。

理屈ではない。彼のことをもっと知りたいと思った。傷ついた過去があるのなら寄り添いたい、なにもかも自分の前に晒して欲しいと思ったけれど——怜衣の中に、なにもかもをそのまま受け止める勇気は、まだなかった。

無条件に信じることも、疑うこともできない、どっちつかずの状態が、苦しい。

（みっともない……ぐちゃぐちゃ……恰好悪い……。私をこんなふうにしたのはあの子だ。年下で、生意気な問題児で、エッチでサディストで、……表面上のカッコつけで塗り固めていた私の、一番奥まで降りてきて、手を引っ張ってくれた人……）

ベッドに横になり、目を閉じると、頭に浮かぶのは、ハルの顔ばかりだった。

（そうか……好き、なんだ……）

暗澹とした気分の中に、ほんの少しあたたかな気持ちが浮かんでくる。男性と付き合ったことはあっても、これまでこんな気持ちは知らなかった。見せかけだけ完璧な自分を作って人前に立っていた、見栄っ張りの女王様に、初めて裸であることを教えた、ハル。

「……ハルのことが……、好き、よ……」

声にしてみると、ごくありふれた言葉が、怜衣の心の中をあたたかいもので満たす。

思い返してみれば、怜衣は、今まで誰かをちゃんと好きになったことがなかった気がする。二十八歳にして、ようやく、この気持ちを知った。

「好き……。私は……ハルのことが、好き……」

あまり眠った実感もなく夜明けを迎えた。熱い湯を張ったバスタブにつかり、いつもより明るめにチークを入れて出勤する。

作業場に入ると、既にハルが仕込みに取りかかっていた。

「どうしたの。まだ……始業開始まで三十分以上あるわ」

「おはよ。ノロは治ったのかよ」

ハルは手元のこし器から目を離さないまま、怜衣より先に朝の挨拶をする。

「……おはよう。ノロウイルスじゃないわよ。ちょっと胃痛。その……薬、ありがとう」

「千ポンドね」

「…………」

冗談とは言え、金の話にドキッとする。聞こえなかったふりをしていると、ハルが手を止め、冷蔵庫を開けた。

「ねえ、見て見て」

怜衣は息を呑んだ。いつもは二人で手分けしてやっている、多種多様なクリームやムース、冷菓や果物類の仕込みが、ほぼ終わった状態で冷蔵庫の中にしまわれている。

「どうしたの、これ。……ハルがやったの？」

「今日あんたが来れないかもって思ったからさ。どこまで覚えたか試したくもあったし。できたとこまで、味とか固さ、チェックしてよ」

「ええ……」

「体調悪いなら、このまま休んだっていいよ？　見習いが優秀だから！」

「大丈夫よ。さあ、思い上がりじゃないかどうか、しっかり見させてもらおうじゃない」

　その後、怜衣はハルが仕込んだものをひとつひとつチェックした。やり直しのものもあったけれど、呑み込みの早い彼は同じ注意を二度する必要がないので、次は完璧に仕込みをこなせるかもしれない。

（たまたま始めたにしては、上達が早すぎるのも、おかしなところなのよ……）

　教え子の成長を素直に喜んでいいのか、それとも見習いのふりをしてレシピを盗みにきた証拠のひとつととらえればいいのか、判断に困る。けれど屈託のないハルを前に、うまく探りを入れられないまま――あっという間に三日が経った。


　ドバイ入港の前日、午後から休暇を取った怜衣は、ジェラルドの部屋を訪ねていた。

　彼と話す間も、話し終わってからも、心臓がキリキリしている。

「……なるほど。それがあなたの出した結論か」

　ジェラルドがある程度反論、もしくは説得してくると思って構えていた怜衣は、淡々と相槌を打つだけの彼に拍子抜けしていた。

「ジェラルドさんのご意向に添えず……」

「いいんだ。なんとなく、こうなるような気がしていた。まあ、ハロルドが一応は真面目にやっているのがわかったのだし、少しは進展ありだ」

「……すみません」

結局、こうすることしか、怜衣の頭には浮かばなかった。

「正当な理由もなく、部下を解雇することは、私にはできません。トラブルが起きたその時は、私がすべて、対処します」

そうジェラルドに伝えた瞬間は、緊張のあまりうまく呼吸ができなかった。大会社の経営に携わる彼には、考えが甘いとあきれられただろうか。だが、たとえ猶予が何日あっても、怜衣は同じ答えを出していたと思う。

（覚悟を決めたのだから、もう迷ってはいけないわ……）

そうは言っても、三日間悩み通しだったのだから、これでよかったのか、という思いは抜けないけれど。

ハルにもらったサファイアの裸石の輝きを、目の裏に思い返す。裸石の相場を確認しておかなければと、昨日パソコンルームで検索した際、『石言葉』というのが目についた。

不貞を働くと光沢を失うと言われ、『誠実』『慈愛』を表す――。

ブルーサファイアは、不変の愛を示す誠実の石だった。

ハルがそんなことまで考えに入れてプレゼントしてくれたとは思わないが、部屋に戻り、ジュエリーボックスに入った裸石を眺めて、結論を出した。たとえハルが、これから大きなトラブルを起こしたとしても、正面から向き合い、正しい道に戻してみせる。

「ハロルドは幸せだ。あなたみたいな人と出会えて」

ジェラルドはティーカップを口元に運びながら、淡々と言う。

「……申し訳ございません」

「どうして謝るんだ？　うちはうち、そちらにはそちらの方針がある、あなたのやり方は尊重せねばなるまい」

「でも……」

どうしても恐縮してしまう。家族に家出された方としては、心配で気が気でないのもわかっているつもりだった。力になれないのを申し訳なく思っている怜衣に、ジェラルドは語調をがらりと変えて提案する。

「もうこの話は終わりにしよう。もし、よければ、全然別の話なんだが、レイさんの力を貸してもらえないだろうか？」

「なんでしょう」

場の空気を変えようとしてくれている心遣いにますます恐縮しながら、怜衣は問うた。

「うちのアフタヌーンティーで出そうとしている新商品のスコーンがあるんだが、僕は甘いものにはうとくてね。匿名でモニターしてくれないかな」

「それぐらいでしたら……構いませんが。そうですね、匿名ということでしたら……」

外野からものを言うのが失礼にあたらないだろうかと気を揉みそうになったが、これも悪い癖だ。ジェラルドはドライな経営者だから、率直な一意見を聞きたいだけなのだろう。

そう思い、請け合うと、ジェラルドは立ち上がった。暖炉の上から、ガラスのドームカバーに覆われたケーキスタンドを取ってくる。中に並べられたパステルカラーのスコーンは、そのままインテリアに使えそうなほどお洒落だった。

怜衣はせめてものお詫びにと、十種類すべてのスコーンをひと口ずつかじり、組み合わせるクリームやジャムの提案をした。

(不味くはないんだけど……一度にたくさん食べるお菓子じゃないわね……)

ぼそぼそとした食感に、口の中の水分が奪われていく。

(！　……なにこれ、しょっぱい)

驚いて、思わず唇に指を当てると、ジェラルドが補足説明した。

「ああ。それは、確か岩塩入りだって言ってたかな。なんだか流行っているらしいね」

「ええ……そうですね。……もしかしたら中に混ぜ込むのではなく、表面に数粒まぶすくらいの方がいいかもしれないですね……」

怜衣は口に広がる不愉快な後味を流すため、冷めた紅茶を喉に流し込み、早口に提案する。つい相手の立場や感情を慮り、言葉を控えめにしたことを、少し遅れて恥じた。

(商品になるのだから、不味いものは不味いって言った方が相手のためになるのに。そう考えると、ハルは立派だわ。誰を敵に回そうが、保身を考えずに言っていくもの)

家柄ゆえの不遜さだったかもしれないけれど。

(あの子にはあの子のいいところが……たくさん……、それを、わかってくれる人も、徐々に……）

考え事の最中、突然頭の中が霞がかってきて、怜衣は慌てた。

（……いけない、しばらく眠れなかったから……。人と喋ってる間に睡魔なんて……）

失礼極まりないわ、と、もう一口、紅茶を飲んで目を覚まそうとする。

「あとはたとえば、トッピングの部分で――」

「……レイさん？」

話を続けようとするのに、途中で言葉が止まってしまった。症状は貧血に似ているけれど、くらくらするというより、一気にジェットコースターが下降するような寒気と脱力が怜衣を襲う。ソーサーに戻そうとしたティーカップが手元から転がり、テーブルに褐色の液体が広がった。まるで世界が突然スローモーションになったようだ。片付けなくては、と思うのに、動けない。

「レイさん、大丈夫か？」

「ジェ……ルド、さ……」

舌もよく回らない。そのまま前のめりに倒れてしまいそうで、怜衣は渾身の力を振り絞ってソファの背もたれに体を預けた。

「……いつまでも紅茶に手をつけないから、だめかなと思ったよ」

その時、ジェラルドの声が別人のように冷ややかになった。

「大丈夫。命に関わるようなものは入れてないから」

「………」

ジェラルドの声が遠くに響く。色の褪せた視界の中で、立ち上がり近づいてきた影が、無造作に怜衣に手を伸ばした。

「あなたはあなたのやり方が。そして僕には僕のやり方がある。すまない。ハロルドを再起不能にするために、あなたを利用させてもらうよ、レイさん」


（痛っ……！）

ぼん、とベッドのスプリングが、怜衣の体重をはじく。高いところから投げられたわけではないのに、まったく受け身を取れないせいで、変なねじれ方をして体のあちこちが痛んだ。手と足の位置がばらばらになって、まるでマリオネットのような恰好だ。けれど全身が痺れていて、体勢を直すことができない。

ジェラルドに荷物のように抱えられて奥のベッドルームに連れて行かれる間、怜衣の頭の中にはクエスチョンマークしか浮かばなかった。

（どうして？　……お兄さんなのに。……ハルと仲がよかったって言ってたのに。再起不能って、なにをする気？）

だが身体の上にのしかかられ、乳房を下から押し上げるように揉まれると、思考はストップして嫌悪感が体中を駆け抜ける。

「や……！」

かぶりを振って大声をあげ、彼の体を押しのけたい。これだけ心が拒絶しているにもかかわらず、まったく動かない体に、冷や汗が溢れ出す。どうなっているのだ、これは。

べろり、と生あたたかい舌が顎を舐めた。

(……きもちわるい……っ)

顔をしかめたつもりだが、できたかどうか。声は掠れてほとんど吐息になった。

(紅茶に……なにか……命には関わらないって、なにを入れたの……?)

ジェラルドの唇が怜衣の唇を覆う。舌を入れられ、絡められたが、怜衣の舌はただの肉塊となって、おとなしくされるがままになっている。目の端に涙が浮かんだ。

「……恋人の兄にヤられそうになっているというのに。無抵抗で、まるで人形だな」

(冗談じゃ……ない……!)

人形なんかじゃない、触るなと、声さえ出れば怒鳴りつけ、押しのけてやるのに。以前、ハルに脅されて襲われた時とは違い、相手への憎しみと恐怖がふつふつと込み上げる。

(ハルの時とは、違う……。ハルはなんだかんだ言って、私が本当に嫌なことはしてこなかった。してる間中、ずっとこっちを観察してて……だから死ぬほど恥ずかしかったけど、憎めはしなかった。でもこの男は……私の意思なんてないものだと思ってる……)

感覚が残っているのが悔しかった。張り裂けてしまいそうなほど、心が悲鳴をあげている。いっそ眠らされて、意識がないうちにコトを済ませてくれればまだマシかもしれない。そんなことを考えてしまう。

「恨むなら、ハロルドと関わったことを恨むんだ」

「……な、ん……で、」

いい兄弟だと言ったのに。

声を押し出すようにして問いかけると、ジェラルドは怜衣のシャツのボタンを下から外していきながら、ゆっくり言葉を返した。

「ハロルドを解雇するのが嫌だと言うから。困るんだ、こんなところで働かれて、こつこつ地盤を築かれると。いつ僕の評判を覆しにかかるか、気が気でない。目障りだ。器用で、能力にも恵まれて、なんだかんだ人に好かれて……。僕が努力で補っていることを、あいつは軽々とクリアしていく」

「……そん……な……」

「……後継者は長男と決まっているわけではない。父はあいつのことを有望視していた。十も下の、あんないい加減な……ッ、私欲を捨て、ずっと真面目に親の言うことを聞いてやってきた僕が！　あんなやつに！　なんで全部奪われないといけないいんだッ」

「……ゃ、っ……！」

ジェラルドはまだボタンがひとつ残っていたシャツを無理やり両側に引っ張ってボタンを引きちぎると、乱暴にその下のブラジャーを外す。

膨らみを、指が食い込むほど強く揉まれ、耳を舐められた。

（いや……だッ……）

あまりの屈辱に、目の前が真っ暗になった。

「あいつは泥棒だ！　しれっとした顔で、僕が手に入れるはずだったものを盗んでいく。要領よく幸せを摑む。正攻法でやっていたんじゃかなわない！」

苦しそうな声から、その感情が嘘でないことはわかったけれど、だからと言ってこんなことをして許されるわけではない。

ジェラルドは怜衣の頰を撫でた。感触で、怜衣は自分が泣いていたことを知る。ジェラルドは濡れた指をぺろりと舐めると、口元に醜い笑みを浮かべた。

「あなたに罪はないのだろうが、あいつの女だというだけで、不幸になる理由は充分だ。二人仲よく、地獄に堕ちろ……」

言いながら、欲情を孕んだ湿った息を怜衣に吐きかける。ワイドパンツの上から秘部を卑猥に撫で回された怜衣は、心の中で悲鳴をあげた。

（いや……、誰か……っ、ハル、助けて……！）

都合のいい叫びだとわかっていた。ハルにも誰にも勘付かれないようにここに来たのに。それでも心の中で何度も名前を呼んで、おそろしさに耐えようとしていると、ふいに体にのしかかる重みが消えた。

と、ほぼ同時に、ばきっ、と重い衝撃音。続いて、なにかが倒れるような音がする。

瞼を開けた怜衣の目に映ったのは、泣きたいくらい待ちわびた愛しい人の、怒り狂った横顔だった。

「なるほど。そこまでクズに堕ちちゃったわけだ、オニーチャンは」

「ハ……ル……！」

　感極まって声を絞り出すと、申し訳なさそうな声が返ってくる。

「レイ。来るのが遅くなってごめん。ちょっと待って。ゴミ片付けたらすぐ行くから」

「……この、っ」

　しばらく揉みあうような音が続いて、なにかが倒れる音や、どちらかが壁にぶち当たるような音、花瓶の割れる音が響いた。がつっ、ごつっ、という、生の拳が骨にぶつかるような音が聞こえるたびに、暴力に免疫のない怜衣は目を閉じてしまう。

「お前になにがわかる、お気楽な次男坊なんかに……」

　苦しそうなジェラルドの声が、鈍い音にかき消される。

「それ、レイになんか関係あんの？」

　ハルはいつもと同じ、飄々とした態度のままだ。

　声を聞く限り、勝負はついているように思えた。もうどたばたと足を踏み鳴らすこともなく、ただ時々、殴る音と吐息だけが、断続的に聞こえる。それが逆におそろしかった。

「ハ……ル！」

「こいつになにされた？　喋れない？　じゃあ同じように、口から使えなくしようか」

「だ、め……」

　紅茶に盛られた薬の効能が薄れたのか、先ほどまでより声が出ることに気付き、怜衣は少しずつ体を起こそうとする。

「だめじゃない。レイをこんな目に遭わせといて、生きてる価値ねえよ、こいつ。……さ、立ってオニーチャン。この程度で終わりにはしないから」

（だめ……！　このままじゃ、ジェラルドさんが……）

殴りたいほど憎く思ったのは事実だが、これほど一方的に痛めつけることは怜衣の本意ではない。ベッドの隅を持ち、なんとか体を腕の力で支えて起き上がった怜衣の目に映ったのは、壁に体を預けるように座り込んだジェラルドと、それを引き起こして殴ろうとするハルの姿だった。

「だ……め！　おにい……さんが……」

このままでは死んでしまう。

ハルに呼びかけたものの、彼は怜衣の方をちらりとも見ようとしない。

「レイ。こいつ、どうして欲しい？　そこのバルコニーから投げ捨てようか」

「だめ……っ、もう……」

「なんで？」

「かぞ……く、でしょ……」

ハルは口の端でちらりと笑った。

「レイに手出した時点で身内じゃねえよ。……おい、ブタの鳴き声みたいな悲鳴出してんじゃねえ、レイが怯えるだろーが」

そしてまた、拳を振りかぶる――。

「……やめなさい、ハルっ！」

怜衣の必死の声が、なんとか形になった瞬間、ハルの動きがぴたりと止まる。

「レイ……」

「それ以上やったら二度と口、きかない！」

そんな小学生みたいな脅し文句で止められる気はしなかったけれど、とにかく、ハルを冷静にさせなければと、表情筋を無理やり動かして、言葉を発する。

「だって、こいつがレイに、ひどいこと……」

「そうだけど、そんな人のためにハルが人殺しになることない！　……腹は立つけど、あなたのお兄さんだもの、今回だけは許すわ……！　だから、ハル、兄弟でそんなことやめて！　一生のお願い……っ！」

怜衣を見つめるハルはなぜだか、悲しそうな顔をしていた。しばらくじっと見返した後、ジェラルドに静かに命じる。

「……立てよ。ほら」

ハルはふらふらと立ち上がったジェラルドを連れてリビングの方へ歩いて行く。しばらくしてドアの閉まる音が聞こえた後、ハルは戻ってきて、ベッド脇に置かれた受話器を持ち上げると、どこかへ電話をかけた。

「もしもし？　俺。……いいよ、白々しい挨拶なんて。どうせあんたも『ディアマント』

乗ってんだろ？　バカ兄貴、あんたの部屋の前に捨てといたから、すぐ回収してくれる？

で、明日朝一で、アレと、ドバイで降りて。変な小細工しようと思っても無駄だからな。

次にアレの顔見たら、俺なにするかわからないよ。わかった？　じゃ、よろしく」

冷ややかに言い捨てて、ハルはガチャンと電話を切る。

「……誰？」

「バカ兄貴の秘書。まったく、『ディアマント』に乗ってくるなんて。……こんなことなら、キャプテンに事情を話しとくんだった……」

心配そうに覗き込んできたハルの顔を正面から見た瞬間、安心して、体中の力が抜ける。

そのままベッドからずり落ちそうになって、ハルに助けられた。

「……よかった。ハルが人殺しにならなくて……」

「そういう問題じゃないだろ。あいつ……」

「そういう問題よ。私はまだ、なにもされてない。……よかった……」

心底よかったと思っているのに、ハルの表情は浮かない。

「なにも？」

「ええ。ボタンがひとつ、犠牲になったくらいよ。……ハル！　血が付いてる……！」

手の甲に血が散っているのを指摘すると、ハルは無造作に汚れをシーツにこすりつけた。

「あいつの血だ、心配ない」

「……船医を呼んだ方がいいかしら」

「いらない。レイの痛みはこんなもんじゃない」

ハルはまだ怒っているようだった。もちろん怜衣も怒っていたはずなのだが、目の前であれだけ派手に立ち回りされると、毒気が抜かれてしまったというのが正直な気持ちだ。

それより、安心の方が今は強い。

「なにも——される前よ」

「してたら、あんたが止めても殴り殺してる」

「ハル」

「当たり前じゃん——俺が守るって言ったのに、俺の身内がこんなこと」

ぎゅう、と怜衣を深く抱き締めて、ハルが言う。怒りと悔恨。ハルの優しさが皮膚越しに伝わってくるようだ。あたたかい体温に包まれて少し速めの心臓の音を聴いていると、ほっとする。シャツは前が開いたままだし、体の痺れも残っていたけれど、まだなにもされていない、と思った。自分は、自分たちの仲は、なにも損なわれていない。

「守ってくれたわ」

本心からの言葉を言うと、いっそう強く抱き締められた。

まだ歩くのが覚束ない体をハルにおぶってもらって自分の部屋に戻る間、エレベーターでも廊下でも、誰にも会わなかったが、もし他人に見られたところで、それはそれで構わないと思えた。ハルの体温に安心する。愛しい、と思う。

自室のベッドの上に降ろされて、視線を合わせると、キスが落ちてきた。

何度も小鳥の挨拶のように唇を触れ合わせると、やがてあわいを縫うように、なめらかな舌が入り込んでくる。怜衣は力を抜いて柔らかな愛撫に応えた。ちゅくり、と甘い音を立てて舌を吸い、一度離れた唇は、一瞬の間隙の後、今度は激情を隠さず深く絡み付く。

「レイ……。レ、イ……っ」

「ハル……！」

呼吸する隙間で名前を呼び合う。息が苦しいけれど、それすら背中にすがり付く名目になる。もっと深く、もっと強く。お互いの体温を感じたい。感じたおそろしさに上書きするように。ハルの怒りを、少しでも鎮められるように。

怜衣は力の出ない腕でハルにしがみ付く。しなやかな背中、ひそかにたくましい腕、自分を守ってくれたハルの肉体を、全身で感じる。

ハルはそんな怜衣の髪を撫で、頰にキスし、顎にキスし、また唇を塞ぐ。耳に、首筋に、胸元に。数えきれないくらいたくさんのキスが降り注ぐ。

いつもの、余裕たっぷりに怜衣を攻めるハルではなかった。時折、力余って、痛いほど、苦しいほど、切実な様子で怜衣を求めて体をまさぐる。行き場のなさそうな力を持て余していて、危なっかしい。纏う空気が、刃のように鋭いのに、薄ガラスのように脆そうで、このままほうってはおけなかった。

「レイ。レイ。ごめん。好き。怪我がなくてよかった」

「ハル……。大丈夫よ。好き……愛してる……」

「レイ……だめ、俺……」

「なあに」

怜衣の肩にしがみつき、首筋に強めに吸い付いて痕を残した後、ハルは自分でも自分が制御できていないような顔で、苦しそうに言った。

「俺、だめ……嫉妬とか独占欲とか、いろんなもので、おかしくなりそ……」

「……うん」

「……今、触られるの、嫌じゃない？」

ずっと肌は触れ合っているけれど、そういう意味ではないのだろう。少しでも怜衣が嫌がれば、無理にも欲求を抑えてくれそうな雰囲気だった。気遣いが嬉しくて、ぎりぎりのものを耐えているのがかわいそうで、怜衣は羞恥心を抑えて、積極的な言い方を選んだ。

「ハルは……嫌じゃない。触って……」

怜衣の言葉に、ハルははぁっと溜息を吐いた勢いで下を向き、首を横に振る。

「やめ……こういう時に、煽って、ほんと、そういうの。我慢できなくなりそう」

「どうして、我慢するの？」

「…………」

「抱いて、……欲しいのに。ハルの体温で、全部消し去って――」

怜衣の方も、もう、普段の自分がどうとか、恰好をつけていられなかった。

ハルに求められて、嬉しい。逆を言えば、他の男に触らせてしまったことで、自分に触るのを躊躇されるようになったら、傷つく。

安心したいし、安心させたい――。

相手のためばかりとは言えない、エゴまみれだった。それもお互い様なら、悪くない。

目が合って、微笑みかけると、噛み付くようなキスとともに押し倒された。

熱い。自分の中が発熱しているようで、ハルのばねのように動く体にしっかりしがみついていないと、どうにかなってしまいそうで。

まだ自分の思い通りにならない体を、怜衣はそのまま全部ハルに委ねていた。

「ぁっ、は――っ……ぁ、もっと、ぉ……」

「レイ、レイ、かわいい、すき」

探られるままに差し出し、たくさん愛撫され、全部さらけ出して、満たされる。

向かいあったまま座位でハルの剛直を呑み込み、ゆらゆらと揺らされながら、何度も長いキスをした。どこまでがハルの舌でどこからが自分の舌かわからなくなる。痺れるような気持ちよさに、お互いの輪郭が溶けてしまったような気がした。

こつこつと中をこするハルの体の一部分が、更に存在感を増す。

他人を自分の中に導いて、蹂躙させて、呑み込む。ひとつになる。……特別な人にしか許さない、特別な行為なのだと、はっきりと意識する。

「……ハル、きもちぃ……おかしくなりそ……」

「レイ……俺も……。溺れそ……」

接触面がどろどろになるくらい、長い時間愛し合い、互いに愛撫を繰り返して。

視覚、聴覚、嗅覚、味覚、触覚、すべての相手の感覚器に、自分の存在を刻み込む。

高まり達して、ほどけてはまた快楽を張り巡らせて、時間を忘れて行為に耽溺する。

「ぁっ、っ——ん、はっぁ」

「ほら、レイ、まだあげる、いっぱい」

「ぁう——だめ……も、イキすぎて……んん……」

ハルが腰を激しく上下に揺らすと、結合部がこすれ、ぴちゃぴちゃと水音がこぼれる。

「ぁ、やぁっ、ああ——イッちゃう、また……ふ、ぅん」

ハルが上下運動に合わせて揺れる乳房を片手でこね回しながら先端を摘み、引っ張った。

体がばらばらになってしまいそうな快感に、怜衣は呼吸困難の金魚のように口を何度も動かした。

「ハル、もう……キス、し……、ぁぁ、ふぁ——んっ……!」

唇を塞がれ、喘ぎ声を攪拌(かくはん)するように口内を舌でかき回され深く抜き挿しされて、怜衣は何度も、何度も天国に押し上げられた。

「ぁ、ん、っ……ぁっ！　あん！　んんっ、も——だめぇ……」

「俺も……っ、ん」

切羽詰まったハルの声を聞いた後、目裏が真っ白になった。

（……体が燃えちゃうかと……思った）

気付いた時には、抱き合ったまま、二人で横になっていた。いつから気絶していて、今が何時なのかもわからない。

怜衣が体を起こして枕元の置時計を見ると、午前三時を示していた。

「……レイ？」

体を起こしたせいで、腕枕をしてくれていたハルも気が付いたらしい。

「ごめんなさい……眠ってしまっていたのね」

「ん……俺もちょっと落ちてた」

ぐっすり寝たおかげなのか、体はすっかり動くようになっていた。頭もすっきりしている。飲まされたのは、即効性はあるものの、それほど強くない薬だったのだろう。

よかった。明日の仕事には、支障が出ない。

「おいで」

ハルが手を広げるので、怜衣は素直に抱き締められに行く。

「……それにしても、よく、私の居場所がわかったわね。あの人がなにかするって、予想していたの？」

「いや。まさか、あそこまでバカだとは……。俺に関してあることないこと吹き込むくらいは、するかなと思ったけど。レイの姿が見えなくて、探しているうちに思い当たって……不安になって」

「お兄さんがロイヤルスイートに泊まっていることを、キャプテンに聞いたのね。そして、マスターキーを借りて部屋に……」

「……まあね」

「そう。……どうして、お兄さんはあんなことをしたのだと思う……？」

ハルの腕の中で、気になっていたことを尋ねる。この話を嫌がるようならすぐやめようと思ったのだが、ハルは怜衣の髪を梳きながら答えてくれた。

「あのバカはなんだって言ってた？」

「……ハルに全部取られてしまうって。それが怖いって」

「だから全部置いて家を出たのに……」

頭悪いんじゃねえの、とハルが呟く。怜衣はあれ、と思ったが、口には出さなかった。

「あと……ハルが家のお金を持ち出したって」

「ふうん。で、レイは、それ信じたの？」

「……信じたくないとは思ってた。けど、どうしても直接確かめられなかったの……」

「それを餌にレイを部屋に呼んだわけだ。あいつ」

ハルの声は淡々としている。

怒られたり、あきれられたり、悲しまれたりするかと思ったので、意外だった。

「……念の為、確認していい？　スリランカでプレゼントしてくれた、青い石は……」

「あれは正真正銘、俺の稼ぎで買ったサファイア。父親の金じゃない」

「……疑ってごめんなさい」

「いいよ。日頃の行いが悪いってやつだろ、これも」

「ごめんなさい……拗ねないで」

「別に。あんたは被害者だ」

　少しふてくされた口調ではあるが、仕方ない、という調子だった。

　もちろん、嘘をついているようには見えない。

（嘘をついたのは、ハルをやっかんだジェラルドさんの方で。ハルはそんなお兄さんにあきれていて。だから家を出て、キャプテンの言っていたように、荒れた生活を……？　なんだか変な話……）

　なにもかも明らかになったような気がするのに、なんだか腑に落ちない。完成しそうで完成しないパズルを前にしたようなやきもきした感じが、怜衣の中に溶け残る。

「……お兄さん、昔はハルと仲がよかったって言ってたわ。……私には、それが演技には見えなかった」

「やめろよ。あいつとはとっくに縁を切ったし、次なんかしたら警察に……」

　ハルは吐き捨てるように言った。その言い方に、怜衣の中にあった疑問が確信に変わる。

　そう。ハルは自分でロイヤルスイートに乗り込んで来た。なにが起きたか理解した後も、自分で拳をふるった。

あれだけ殺意をみなぎらせていたのに、ジェラルドを憎んだはずなのに――。

けっしてセキュリティの人間を呼ぼうとはしなかった。

「ハル、もしかして……」

「やめろ。言うな」

ハルは語気を強くして制止する。怜衣の耳には、それは肯定として届いた。

「そう。……だからキャプテンに、お兄さんと仲がこじれているってことを言ってなかったの。会いたくないって。誰にもなにも言わずに……家を出たのも」

「言うなったら！」

「お兄さんの立場を考えて、我慢――」

「レイ！」

怜衣を抱き締める手に、力が入る。痛かったけれど、怜衣は、黙って耐えた。

しばらくして、ハルは、少しずつ喋り出す。

「……俺には両親が揃ってて……自由気ままにやってきた。でもあのバカは小さい時から親の期待に応えることに全力を注いで、やりたいことも我慢しっぱなしで……だから、あいつが全部手に入れるのが順当なんだ……」

「………」

「昔は優しい兄貴だった。って、自分に言い聞かせてたけど、さすがにこれは許せない」

「ハル」

「だめ……？」

強く抱かれていて、ハルの顔を見ることはできない。見るつもりもない。声のトーンが少しだけ弱まっただけだ。聞いたことのない声だったけれど——それだけだ。

「進学を邪魔されて、家も出たのに、大事な、人に、レイに……こんなことまでされて、それでも俺は、アレを許さないとだめなの……？」

「……許さなくていいわ」

自分が泣いちゃいけない、と強く怜衣は思った。多分、怜衣が泣いたら、彼は自分の悲しみを見ないふりして、怜衣のケアをしようとするだろうから。

今までのハルの言動——その、裏にあったもの。あの時、一瞬だけのぞいた負の激情。憎しみの気持ちだけで、人はあんなに傷つかない。

嫌いな人間なら、された仕打ちを隠さず吹聴すればいい。

なにもかも胸のうちに呑み込んで、自分が悪く思われることを無視できるくらい、ハルは兄を慕っていたのだ。

「私のために我慢させてごめんなさい……。あんな人より、ハルが百倍偉いわ。偉かったね、ハル」

九、過激な部下の正体、甘く耽溺

　ジェラルドたちが下船したドバイを出港した後、『ディアマント』は五日間という長めの航海日を迎えていた。アラビア海から紅海に入り、ヨルダンを目指す中、静かな日常が戻ってきた——というわけにはいかなかった。ずっと船内にいなくてはならない客を退屈させまいと、連日パーティや実演ショーの予定が組まれ、製菓部も落ち着く暇がない。

「ボス、シブサワ様がホールにお見えですけど」

　サービスのマリーが作業場に現れたのはそんな時だった。怜衣はありがとう、と返したが、ふんわり笑顔の彼女の視線はハルの方に向いている。

「おい、なんで俺の方見ながら言うんだよ。……行ってらっしゃい、ボス、ここは俺が」

「……あーあ。ボスったら見る目ないなぁ」

　マリーの甘い声に、ハルは嫌そうな顔をするが、怜衣もあら？　と心臓が跳ねた。

「なんだよ」

「ホールの女の子たち、もう泣かされないで済むかしら」

「知らねーよ、そもそもなにもしてねえし」

「すごまれちゃった、怖ぁい。ボス、行きましょう」

一緒にホールに向かう途中、怜衣は内心どきどきしながらマリーに話しかけた。

「ハルとは、仲がいいのよね」

マネージャーのブラッドと付き合っていることを知っているので、ハルとの仲を疑ってはいないのだが、色々バレてしまっている様子なのはどういうことかと確かめたかった。

「全然仲よくないです。ボス、なんでハルなんですか？　絶対シブサワ様の方が恰好いいのに」

「……いいの、マリー？　ブラッドが妬くわよ。それに、シブサワ様は恋人とご乗船中」

「美形を目で楽しむくらいで目くじら立てるほど、ブラッドは器の小さい男じゃありません」

「ごちそうさまね」

「ハルはいちいち嫉妬しますよね。ボス的には、そこが年下彼氏のカワイイところって感じですか？」

「……なんのことか」

「ごまかそうとしても、無駄ですよ。ボスがいくら上手に隠しても、ハルの方が、感情だだ洩れですから」

怜衣は言葉を失う。接客能力に長けているマリーだから人を見る目があるのか、それとも、誰の目から見ても明らかなのか。後者なら、今までバレないようにしてきた努力はなんだったのか、とヘコんでしまいそうだ。

「私も社内恋愛中だから気付いちゃったのかな。ハルが入社してきて間もなく……大部屋にいた時から、彼、いつも視線でボスを追ってたので。告白するならしちゃえって、厨房入るたびに念じてました」

「そ、そう……」

そんなハルに、当の怜衣は全然気が付かなかったのだと白状したら、鈍いと言われるだろうか。

「お幸せに！」

マリーに屈託なく言われると、なんとなく、勝てない気分にさせられた。

なるほど、これではブラッドも、ハルも、歯が立たないわけだ。


席への案内も受けず、ショーケースのそばに立っている渋澤の姿を見た瞬間、想像していた用件とは別件で呼び出されたことがわかった。

婚約指輪を渡すサプライズを今日の夕方に控えて、最後の段取りの打ち合わせに現れたのかと思ったのだが、いつもきちんとしている髪のセットも服装もおざなりで、お洒落な渋澤がプロポーズに臨む恰好には見えない。憔悴(しょうすい)した表情で、顔色もよくなかった。

「すみませんが、夕方の予定は延期させていただけますか？」

言いにくそうに告げられた瞬間、やはり、と思う。

「ええ、それは構いませんけれど……なにかございました？」

「実は……優梨がいなくなったんです」

「お連れ様が？　いつからです」

「昨晩……喧嘩して、しまって」

喧嘩では驚かないが、渋澤の答えを聞いて、怜衣の背中に冷たいものが這う。

（一晩……女性が部屋に戻らなかった……）

頭の中を色々な可能性が駆け巡った。大変な事態が起こったのかもしれない。

怜衣自身、先日のジェラルドとのことを生々しく思い出してしまい、少し冷静さを失いそうになった。

「――誰かに話されましたか？」

「いいえ」

「では、担当の部署に連絡を……皆で探してみます」

踵を返しかけた怜衣の手首を、渋澤が掴む。振り返ると、彼は慌てて手を離した。

「……あ！　すみません。……その、皆さんに知れ渡ってしまうと、彼女が戻って来た時……居心地が悪いのではないかと」

「渋澤様」

事故や事件の可能性も否定できないのだが、渋澤はあまりそちらの方は想定していないようだった。

「その、彼女は内気……で。騒ぎになってしまうと、出てきづらくなると思うんです。……痴話喧嘩の後ですし。もう少し僕一人で探してみます。まだ、見ていないところはたくさんあるし」

「え、ええ……」

「すみません。また、連絡します」

渋澤の心配ももっともではあるのだが、なにかあってからでは遅すぎる。

自分の勧める船だ。悪い人間は乗っていない前提ではあるが、楽観視してはいられなかった。しかし、要請がなければ、こちらが勝手に動くわけにもいかない。

怜衣は仕方なく渋澤を見送り、作業場に戻ったのだが、浮かぬ顔を見咎められてハルに事情を話した。ハルは一言で切り捨てる。

「ほっとけよ。大人だろ」

「だって、ほうっては……」

「だったらセキュリティ・オフィサーに内線連絡して探させれば」

「専門家に頼んだ方が早く見つかるかもしれないけど、渋澤様に、おおごとにするのはもう少し待って欲しいと、頼まれてしまったし。……せめて、私、探すの手伝いに行っちゃだめかしら。スタッフにしか探せないスペースもあるし。女性同士の方が、見つけた時に気まずくないかもしれない」

「セキュリティ・ルームにも女性スタッフはいる。あんたの仕事はパティシエールだろ」

　ハルの正論に言葉が詰まる。

　それはそうなのだが、自分と何度も打ち合わせした客だ。ほうっておけない。

「そうだけど。一時間くらいなら、補充作業はハルに任せられるし」

「それは受け付けない相談。なぜかっていうと、俺は今から昼休憩」

「……一時間だけ待ってくれない？」

「ムリ、ヤダ、腹減った。本人がいいって言ってんだからほっとくべき」

「でも、……もし、最悪のことがあって……海に落下、とか、されてたら……」

　そんな話でもハルはドライに言い切った。

「そしたらとっくに手遅れ。じゃ、休憩入りまーす」

　冷たい、と思いながらも、ハルの言っていることが徹頭徹尾正しいのはわかっていた。

（時間の捻出のために、あっちの大部屋の子に仕事を引き継ぐのは手間だし、そこまでして私が動く必要はないっていうのは……わかっているのだけど）

　それでも、落ち着いてはいられない。渋澤もハルも、気楽に構えすぎだ。渋澤の恋人は、どこに行ってしまったのだろう。バーもカジノも夜遅くまで開いてはいるけれど、二十四時間営業の施設は船内にない。パブリックスペースのソファで寝ていたら目につくし、密航やテロを防ぐため、倉庫やバックヤードもセキュリティ担当がチェックしているはずだ。

（空いている客室には鍵がかかっているし。トイレで一晩くらいは明かせるかもしれないけど……。あとはお知り合いが乗っていればその人の部屋とか……でも、そんな人がいたら真っ先に渋澤様はそこを訪ねるでしょうし……）

初めて会った誰かの部屋に、無理やり連れ込まれた時のことを考えると、不安になる。

（それが最悪の事態かも……。海に落下は、自分で手すりを乗り越えない限り、ほぼないもの。可能性がゼロとは言えないけど……）

シュー・ア・ラ・クレームに入れるキャラメルクリームの味を調整しながら、複数の仕込みを同時進行する。どうするのが最善なのかわからないまま、長い一時間が経って、ハルが休憩から戻ってきた。

「お先っした」

「おかえりなさい」

「下でキャプテンに会ったからさりげなく探り入れてみたけど、やっぱ昨日から変わったことはないみたい。そのうち出て来るんじゃない？　勘だけど」

「……訊いてみてくれたの。ありがとう」

期待していなかったので少し嬉しかったし、ハルの勘とやらを信じたかったが、安心材料にはほど遠かった。

「……私も休憩いただこうかな。やって欲しいことのメモはそこに貼ったから……」

ショコラスクエアの補充をホールに渡し終え、なんとか急ぎの仕事を終えたところだ。

自己満足でしかないが、少し心当たりを見に行こう。

作業場を出ようとした怜衣の耳に、カシャーンと冷たい音が響いた。シンクにスプーンかなにかを落とした音だろう。振り返ると、冷蔵庫から出したと思しきキャラメルクリームのボウルの前にハルが立っている。

「ぼけた味。これ、いつもの味と違うけど、大丈夫？」

「あ、………」

怜衣はその場に駆け寄った。新しいスプーンを出して、クリームを舐める。

確かに、甘いばかりでキャラメルの風味が褪せていた。

（私、味見、して……なかった……？）

ふうっと息をついて、怜衣はボウルに手を伸ばす。

「作り直すわ……。ありがとう、ハル」

「あんた、意外と不器用だよね」

見透かされたように言われ、胸が痛んだ。

「……そうよ。お菓子を作る以外、なにもできない。一度にひとつのことしかできないの。余計なことに手を出して、慌てふためいて……だめなやつね」

クリームを捨て、ボウルを洗いながら、出てくるのは自虐めいた言葉だ。

別にいいじゃん、とハルが呟いた。——聞き間違えかと、思った。

「だめなやつでいいじゃん。それで、もっと周りを頼んなよ。借り作りなよ。そうしないと、周りもあんたを頼れない」

それは管理職としてどうなのか……と言いかけたが、突然すとん、とハルの言葉が腑に落ちた。怜衣だって、ハルの弱いところを見つけた時、自分にできることを見つけたようで、嬉しくなったのだ。

「ハル……。さっきの件、解決したいの。なにかいい案をちょうだい」

「しょーがないな。……高いよ？」

「いくらでも払うわ」

言うと、ハルはひとつ頷き、水道の水を止めた。

怜衣の背中を押すように作業場を出ると、隣の大部屋に声をかける。

「緊急対応が入ったんでちょっと抜けまーっす」

「はあ？　さっきあんた休憩……ちょっと！」

怒鳴るミシェルに怜衣は小さく手で謝罪のサインを送った。

有無を言わさない強引さに少しあきれる。しかし、もう乗りかかった船だ。

ハルは従業員用エレベーターに乗り込むと、迷わずデッキ三の階ボタンを押した。

「……ここは？」

「俺の部屋だけど」

「私、渋澤様のお連れ様を見つけたいって言わなかったかしら？」

「だからここに連れてきたんだろ」

それが、なぜだかわからないのだ。

まさかハルが渋澤の恋人を自分の部屋にかくまっていたのだろうか？

「片付けてないけど、どうぞ」

なにひとつわからないけれど、とりあえず入室した。

「……なに、これ」

思わず声をあげる。まずひんやりとした空気を感じ、勤務中にもかかわらずクーラーがつけっぱなしだったことに驚き、あきれた。あんなに省エネのことを船長がアナウンスしているのに、お坊ちゃんは困ったものだ。

そう思ったのが一瞬、けれど目の前に広がる光景に、怜衣は圧倒されて口を開けた。

「一人部屋、なの……？」

一般職スタッフ用の、ベッドの間を縫うように歩かなければならない二人部屋ではない。怜衣の部屋よりもはるかに広い。正面の大きなデスクにはパソコンが二台置かれ、その周りにはたくさんの本や紙の束が積まれている。机の上には置ききれないらしく、床まで侵食していた。船関係の本、コンピューター言語の本、多種多様なジャンルの分厚いハードカバーに混ざって、製菓の『聖典』とされるようなレシピ本もある。

部屋の隅にはソファがひとつあったが、寝室は別にあるようで、ほとんど個人オフィスの体を成していた。

ハルの部屋というのを、今まで一度も想像しなかったわけではない。

けれど、あまりに規格外だった。

「そ。特別待遇」

「キャプテンの知り合いだから？」

「っていうより、仕事内容的にね。守秘が発生するから」

怜衣がきょろきょろと部屋を見回している間に、ハルがパソコンの前に座った。

（うっ……）

黒のセルフレームの眼鏡をかけるハルに思わず見とれてしまい、慌てて会話に戻る。

「仕事って……？」

「えーっと、ねえ。製菓の見習いでもちゃんと給料出てるんだけど、『ディアマント』に呼ばれた名目としちゃ、システム構築の方が本業っていうか」

「……うん？」

「まあ、そっちはフレックスだし、せっかく同じ船の中にレイ・ミシマがいるんで、製菓の方にも籍置いておきたくって」

先ほどから、ハルの話すことの半分も理解できていないのだが、ハルもディスプレイを見ながら、キーボードに指を走らせており、そんな怜衣に気付いていない。

「……で、なにをしてるの？」

「あ、悪い。今、システム立ち上げてるから、ボス、ちょっとブリッジに内線かけて、キャプテン呼んで」

状況把握ができないまま、怜衣はハルの机の上にある受話器を取って、コールする。

船長に取りついでもらうと、キャスターつきの椅子で移動してきたハルに、横から受話器を奪われた。挨拶もなく、単刀直入にハルは言う。

「キャプテン、あれ、動かしていいですか」

『ハル？　なんでそこにレイが？　なにがあったのか説明しなさい』

「なんか行方不明の客がいて、おおごとにしたくないらしいよ。大体バグも解決したし、許可ちょうだい。は？　大丈夫、ボスは口堅いから。……うん。任せて、じゃあね！」

受話器の向こうの船長が困惑したり言葉に詰まったりしている気配が伝わってきて、怜衣は仲間意識を持ってしまった。誰にでもこうなのか、この子は。

がちゃん！　と音を立てて受話器を置くハルに、

「……電話の切り方まで教えなきゃだめなの？」

「大丈夫、知ってるけどやらないだけ」

のれんに腕押しとはこのことだ。

「……っていうか、なに、それ」

ハルの操るパソコンのディスプレイに表示されているのは、建物の見取り図らしきものだった。コンピューターには詳しくはないが、立体的で、細かく部屋の名前なども書いてあり、かなり緻密なものであることがわかる。

「『ディアマント』の３Ｄ見取り図。最新データをまだ読み込み中」

「この赤い点は？」

「全乗客・スタッフの現在位置……正確に言うとルームキーの発信ポイント」

「……どういうこと？　ＧＰＳみたいに現在地がわかるということ？」

「そ。一人ひとりの」

「な、なんでそんなものに、アクセスしてるの……」

あると便利そう、という感想と、究極の個人情報ではないか、という懸念が同時に湧き起こる。少なくとも、怜衣はこんなものを見たことがなかった。セキュリティ・ルームに行けば、防犯カメラのモニターくらいはあるものと思っていたが、船側が個人の位置情報を完全に把握しているとは。

船長の許可は取っていたようだが、こんなシステムをハル個人が自由に運用していることに、危なっかしさしか感じない。それに。

「……待って。この前、ロイヤルスイートに助けに来てくれた時は、これで私のいる場所を探したってこと？」

「……ああ、うん、まあ」

「……私がどこにいるか、ずっと観察してたの……？」

「いや待て！　そんな四六時中のぞいたりしてねーし！　あの時はあんたが危ない目に遭ってないか心配で、それでだな……本当だよ！　そんな目で見るな」

これではいつトイレやシャワー室に行ったのかも丸わかりだ。問いただしたい点は多々あるが、なによりも一人の女性として、プライバシーがすべて丸裸になっていたことに、泣きたくなる。

（ジェラルドさん、ハルのことストーカー気質って言ってたけど、一部当たってる……）

恨めしい目で見ると、ハルはさすがに気が咎めたらしく、手を止めて怜衣の方を見た。

「……本当だって。まだ実装してなくてテスト中なの。客やスタッフにこういうもの作ってますって説明もしてないから、運用には細心の注意を払ってる。私用は……最低限だ」

「……当たり前でしょう。それはそうと、なんでこんなものが必要なの？」

「今回の件で必要だと思ったから、連れて来たんだろ。迷子の名前を検索すれば、一発で解決だ。昼休憩に調べて、反応があったから、もうしばらく放置していいかと思ったけど、それじゃあんたがおさまりそうになかったし」

「じゃあ、渋澤様のお連れ様はご無事でいらっしゃるの？」

「ユタカ・シブサワの連れのユウリ・タカタだろ。いるよ、船内に。さっきまで図書館の書庫にいた。無事だよ。カード盗難じゃなければな」

「早く教えてよ……！」

ほっとして全身の力が抜けそうになった。よかった。とりあえず、よかった。

早く渋澤に報告に行きたかったが、ハルにも聞きたいことが多すぎる。

「俺の立場をうまく説明できそうになかったから。ったく、大体、痴話喧嘩の解決のために作ったシステムじゃないっつーの。テロや事故時の避難誘導の対策としてだな……」

「……ねえ、ハル。私はさっきから、よくわからないの。作ったとか作らないとか、なんの話をしてるの？」

「だから。このシステム構築を、キャプテンから依頼されて……」

「趣味で？」

「……給料をもらってる」

　ハルの眼鏡がモニターの光を映して青く光っている。

「そんなに簡単なの？　システム構築って」

「レイ。その言い方、俺はいいけど、同業者が怒る」

「……そうよね。イメージでしか知らないけれど、こういうものは専門の勉強をした人が作るのだと思ってたわ」

（……ハルが？）

　怜衣の知っているハルと、この部屋にいるハルが、どうしても一致しなくて混乱する。

「待って、整理させて。あなたが通っていた高校が、コンピューター系だってこと？」

「いや、高校は普通のパブリックスクールで、大学は海洋学科。バカ兄貴が卒業妨害しやがったけど」

「大学、卒業？　あなた、歳ごまかしてたの？」

「二十であってる。……日本には飛び級ないんだっけ？」

「……飛び級?」

「俺、兄貴とうまくいかなくなってからは、家を出てロイズと関係ない会社で船長になるつもりだったから、海洋学科に入ったんだ。調理も興味があったから、知り合いの店でバイトさせてもらって、満足したとこで辞めて。システム関係の勉強もその頃から始めてたけど、ほぼ独学かな」

「………」

もしかして、この子、ものすごく優秀なのではないだろうか……。

「兄貴に卒論捨てられて、大学卒業できなくて。院に行くつもりだったから就職先も考えてなかったし、なんにもやる気起きなくなっちゃったんだ。それで、船の占拠とか爆破を楽しむ軍事ゲームアプリとか作って荒稼ぎして豪遊してたら、ここのキャプテンにちゃんとしなさいって怒られて、仕事もらった」

なんというか、もう、言葉もない。

「……で、どうして、製菓に来たの」

「言ったじゃん。『女王』レイ・ミシマがいるからだってば。噂はかねがね聞いてたし、実際ひと目で気に入ったし。あと、この仕事バグ取り以外楽勝すぎて、暇だったし」

「……色々と、納得したわ」

そうではないかと思ったことは何度もあったが、本当に腰掛けの副業だったと聞かされて、こっちの気苦労はなんだったのだ、と力が抜ける。ミシェルが聞けば、激怒するに違いない。けれど、なんとなくもやもやしていた謎が解けて、すっきりした気もする。

「定時あがりにこだわったのも、『本業』があったからなのね」

「いや、それはアートの通信教育の時間」

「……アート？」

「オンラインの授業。いつか新造船に携わるならアートやインテリアにも通じてないと。乗ってる船に飾ってある絵のことも説明できない船長なんて恰好悪いだろ。……なんて。結局、船長になる夢は諦めきれてないってことなんだよな。ダッセーけど、未練たっぷりってこと。……船長は甲板・機関・無線・ホテルサービスすべての長、っていうけど、シェフと料理の話で渡り合えないと話にならないし、テナントのブランド店にファッションセンスを馬鹿にされるわけにもいかないし、今時マーケティングくらいできなくちゃ。あらゆる局面で、全従業員にさすが、って言わせてこその大ボスだろ。まあ、別に、どこかの老舗船舶会社の無能な経営者が、シェフに頭があがらなくて厨房改革に失敗し続けてるってことは、今の話には関係ないけど」

「……ハル……」

「身に着けた知識と技術は裏切らない。だろ？　だから、製菓の女王の下で、俺は働く。そこに本業も副業もない。兄貴みたいに、出来合いの環境恵んでもらう必要はねえの。って、何度も言ったのに、あのバカわかってねえ」

（……うわあ、偉そう……お兄さん、これは腹立つわ……）

ハルをハルたらしめているものを理解するまで、癖がありすぎて、いらっとしてしまう人が多いのかもしれない。

(でも、この子の中では全部それで筋が通ってるんだ)

とりあえず、彼に『女王』と呼ばれる間は、教えてあげられることがあるようだから。

「わかったわ。社会人として最低ラインのマナーと、接客業の口のきき方も、ちゃんと仕込んであげるからね……」

「いらねーよ！」


「優梨が見つかったんですか？」

渋澤の部屋に内線をかけて用件を伝えると、彼は怜衣が呼び出した場所にすっ飛んできた。デッキ七。カジノや劇場、図書館のある階のウォーキングデッキは、夜の喧噪からは想像がつかないほど、日中は閑散としている。頭上には緊急避難用のボートがくくりつけられており、陽光がさえぎられて薄暗かった。

「それが……」

「――ちょっと困ったことになってるんだよね」

言いよどむ怜衣の横から、ハルが口を出す。ちょうどランニングトラックのカーブの死角に入っていたらしく、渋澤はそこで初めてハルの姿を見たようだ。

「……あなた」

「あれ？　『ヴィネタ　ホテル＆リゾート』のユタカ・シブサワさんだよね？」

ハルはすっとぼけた顔で相手を呼ぶ。

「……ご無沙汰しております。『ロイズ・ライン』のハロルドさん」

挨拶をする二人の男たちに、怜衣は、世の中は意外と狭いことを実感していた。

（知り合いなら知り合いと言いなさいよ……）

ハルいわく、パーティで一、二度顔を合わせたくらいの仲だそうだが、「シブサワって、どこかで名前聞いたことあると思った」といきなり言い出すので、怜衣としては驚くしかない。双方ともに大物の親を持つ、リゾート業界の御曹司同士、顔見知りらしい。

「あの、不躾なようですが、ハロルドさんはここでなにを……」

「見てわかるだろ、パティシエ見習いやってんの。コックコート、似合う？」

「はあ……」

渋澤の困惑をよそに、ハルはにこにこ笑いながら話を続けた。

「こんなとこで会うなんてね。アマルフィの、新ホテル開業の記念式典には、兄貴が行くと思うよ。……鼻にばんそうこう貼ってるかもしれないけど」

「……ええと」

「フィアンセを連れて行くんでしょ。あなたの婚約披露パーティも一緒にやるって聞いてるけど……。ね。もしかして行方不明になったのって、その人？」

「……はい」

「大変じゃん。すぐセカンドの恋人を呼ばないと」

「そんなものはいません」

悪ぶったことを言うハルは、恋人の目から見てもちょっとどうかと思うくらい小憎らしいのに、渋澤は大人の対応をしていて、さすがだと思う。

ハルの登場に出鼻をくじかれた形になった渋澤は、けれどすぐに我に返ったらしく、怜衣に視線を向けた。

「三嶋さん、それより優梨が見つかったというのは……」

心配そうな目を見て、心が痛む。できることなら、すぐ彼女がいるところに案内してあげたい。けれどそれでは同じことの繰り返しになるとハルに言われてしまった。それももっともだと思ったので、怜衣は渋澤の視線から逃げるように目線を落とす。

「ええ……それなんですけど。お連れ様は、その、なんというか……」

「あんたのとこに戻りたくないらしいよ」

「ハル」

言葉を選ばないハルの性格は、こういう場面では本当に冷や冷やさせられる。

「なんだよ。こういうことはオブラートに包むとよくないって」

「言い方というものがあるでしょう。……渋澤様、今は、彼女、お話するのが難しいかもしれません」

止めてもなお口を出してくるハルに閉口しながら伝えると、渋澤ははっと悟ったようだった。

「優梨に会ったんですね。……どこにいるんですか」

「……場所は、言わないで欲しい、と……」

「やめときなって、大事な取引先集めてのパーティ前に姿消して気を引こうとする女なんか、ろくなもんじゃないぜ」

軽い口調で挟まれたハルの言葉に、柔和だった渋澤の顔つきが険しくなった。

「優梨を悪く言うと、いくらあなたでも承知しませんよ。……三嶋さん。彼女は僕に怒っていたんじゃないんですか？」

「いいえ。なんと申し上げればいいのか……」

一晩中泣いていたのだろう。怜衣たちが図書館の書庫に行くと、本棚の陰に、泣き腫らした目をした女性が隠れていた。

高田優梨――怜衣より少し年下だろうか。きちんとした身なりのかわいらしい女性が、薄暗いところで心許なさそうに座っているのは痛々しくて、やるせない気持ちにさせられた。

恐縮し、迷惑をかけたことを謝る様子は常識的な令嬢そのもので、そんな彼女が一体なぜ、優しい恋人の元を逃げ出さなければならなかったのかわからなかったが、憔悴した様子が気の毒で、怜衣はその場を一度ハルに任せて作業場に戻った。

秘蔵のベネズエラ産カカオを使ったダークチョコレートをアーモンドミルクに溶かして、ショコラショーを作る。あたたかく甘い飲みもので、少しだけでも、元気を与えたい……と、かき混ぜている間はそのことしか考えられなかった。デッキ七に戻り、優梨にショコラショーを出すと、彼女は両手で包むようにしてカップを持ち、

「美味しいです……」

と、少し笑ってくれた。会話に応じてくれそうな雰囲気になったので、おせっかいかもしれないが、少し話を聞いてみたいと思う。女性だけで二人きりの方が話しやすいだろうからと、ハルには図書館に誰も入って来ないよう扉の外で見張ってもらうことにした。

怜衣自身何度か実感したことがあるが、甘いものというのは、落ち込んだ女性には薬のようなものかもしれない。ショコラショーに口をつけるごとに、優梨の表情が柔らかくなっていくような気がする。図書館のソファの向かいに座った優梨は、やがて少し緊張を解いた様子で、話し始めた。

「こんなに美味しいホットチョコレートは、初めて……。それに、船の中は外国人ばかりだと思っていたから、日本の人に会えて、少しほっとしました。……パティシエールの三嶋怜衣さんですよね。雑誌で拝見したことがあります」

「ええ」

「どうしてパティシエールの方が、私を探しに来てくださったんですか……？」

当然、気になるところだろう。サプライズのことは黙っていたかったが、下手にごまか

して、渋澤との関係を曲解されるよりはと、思い切って打ち明けた。

「渋澤様に何度かティールームにお越しいただいたことがございまして。昨日からあなたのお姿が見えないと、個人的にご相談を受け、心当たりを探しに来てみただけなんです。……他のスタッフは、まだなにも知りません。渋澤様にも、……この場所のことはまだお伝えしておりません。高田様のお気持ちを伺ってから、どうするのが最善なのか、ご一緒に考えられたらと思いまして」

「…………」

「おせっかいでしたら、申し訳ありません。もし私などでも、話してお楽になるなら……と」

「ありがとうございます。三嶋さん、もしかして彼から、プロポーズのやり直しのサプライズを頼まれたんじゃないですか?」

　本当なら今日、その予定だったのだ。しかしもうそれどころではないだろうと判断し、白状してしまう。

「……そうです。渋澤様から、高田様に喜んでいただけるようなサプライズがしたいと、お話を伺っておりました」

「やっぱりそうなんですね……。サプライズ、なんて……もう、うんざりなのに」

　溜め息とともに押し出される重い声に、もしかしたら原因はそこなのか、と直感した怜衣は、相槌を挟みながら、優梨の話に耳を傾けた。

「……隆さんは、プレゼントやサプライズの好きな人で。この船に乗せられたのも、元はと言えばサプライズなんです。二泊三日の仕事関係の中国出張だと聞いていたのに、タクシーで港につけられて、そのまま……アマルフィに行くよ、バカンスついでに向こうで婚約披露だ、なんて言われて。信じられない。私にも仕事や他の予定があったのに。彼は私の上司でもあるので、勝手に職場に話をつけてしまっていて。船の中に一カ月以上も閉じ込められて、ずっと彼と二人きりで。こんなの、逃げ場がないじゃないですか……」

「そうでしたか……。お仕事のこと、気になられたでしょう」

「すぐに職場に電話しましたけど。……私たちは社内恋愛で。もうすぐゴールインだってことは職場の皆も薄々勘付いていたようですし、彼は特殊な立場の人だから、こんなめちゃくちゃをしても、許されてしまうんです。でも、私は結婚しても仕事を続けるつもりなので、相談もなくこんなことをされると……」

「……困りますよね」

「……そうなんです。皆、祝福してくれているけれど、仕事をおろそかにしてしまうことで、そんな気持ちにも水を差してしまわないか、と。なんにしたって事前に相談くらいしてくれていたら、ちゃんと引き継ぎもできたのにって……」

「……わかります。そして、渋澤様のお気持ちも……。悪気があってのことではなく、ただ高田様に喜んで欲しくて……なのだと思います。お仕事が忙しくて、最近高田様とゆっくり向き合えていないと悔やんでいらっしゃいましたから。船旅なら、ゆっくり二人きりの時間を取れると思われたのでしょう」

「………」

「でも、もし私が高田様のお立場だったら、なにしてくれるのよ！　って怒鳴って、もしかしたらビンタくらいしてしまっていたかもしれません。だって……嬉しくないサプライズなんて、迷惑なだけですもの」

　怜衣がわざと冗談っぽく言って肩を竦めると、優梨はくすくすと笑った後、さびしげな表情になった。

「……怒鳴ったらよかったんですね。友人に相談しても、なにが不満なの？　バカンスなんて最高じゃない、羨ましい、って言われてしまったし、自分でもなにが不満なのかわからなくなってきて……。彼のこと、愛しています。悪気がないのはわかっているし、結婚だって、……嬉しい。だけど、このままでいいの？　って、指輪を見せられた時に思ってしまったんです。このまま、彼と何十年もやっていけるのか？　って」

「………」

「せっかく私のために考えてくれたことに、迷惑……なんて言うのは、申し訳ない……。でも、でも……っ！　あの人はいつもそう、恰好つけて、私にはなにもかも内緒にして、相談もなくて。結婚式のことも、新婚旅行のことも、僕に任せておいてって言うばかり。優梨はなにも考えなくていいんだよ、楽しんでくれたらそれで、って」

「……ええ」

「私は与えられるばかり。二人で相談して決めたい、一緒に悩んだりしたいって伝えても、彼にはよくわからないみたいで、首を捻られて。友人にも、愛されているのにわがまま、贅沢だって言われて。私の方がおかしいのかな、ちょっと我慢しようって口を閉ざすようになったら、どんどん、心の中が曇っていって……」

きっと、彼女は優しすぎるのだろう。彼の気持ちを尊重したくて、自分の気持ちを押し潰しているうちに、心の中が苦しさでいっぱいになってしまったのだ。

「悪い人じゃない……悪い人じゃ、ないん、ですけど……」

「……高田様。こんなふうに申し上げてご気分を害されたらすみません。でも……、お気持ち、わかります」

「本当に？　どうしてなんでしょう、三嶋さん。どうして男の人って、自信満々で、人の話を聞かなくて」

「自分勝手で、独りよがりで」

「プライドが高くって、その裏側で意外と逆境に弱かったりするし」

「隠し事上手で、なにを考えているのか全然わからないし……！」

「ですよね！　……よかった、こんなこと考えるの、私だけかと思ってた……」

優梨は息を吐くと、肩のこわばりをほどいて、一気にこれまでの不満を吐き出した。

「大体卑怯じゃないですか。アマルフィまで船旅って！　そこについたら、お世話になっている皆様と、内々の婚約披露のご挨拶って。彼の仕事に出る支障とか信頼とか考えたら、逃げられっこないんです。でも、気持ちが引っ掛かる、幸せに浸りきれない、マリッジブルーと言われたらそれまでですけど、私だって自分の一生がかかってる選択なのに、こんなやり方、ずるい。彼の方は策略だなんて思ってないことがますます腹立たしい。私が悩んでることは知ってるくせに、そのことは曖昧にしてちゃんと話し合いをしてくれない彼が憎く思えてしまう。……優しい人だって知ってます。こんなことで結婚を台無しになんてしたくない、なのに感情が先走ってしまう。彼の気持ちに応えて優しくしたい気持ちと、私の気持ちをわかってくれない彼への苛立ちがせめぎあって、船に乗ってからは毎日喧嘩ばかり。目的地が近づいてくるほど、このままじゃだめだと焦ってしまって。今彼の顔を見たって、きっとひねくれたことしか言えない。……謝りたいのに」

「謝りたい？」

「……姿をくらましたことに関しては。子供みたいに自分の感情を優先させてしまって、迷惑をかけたのですから」

「でも、まだ気持ちの上では、納得されてないのですよね？」

「……はい」

「これ以上気持ちを押し潰さず、素直に渋澤様にお伝えすることはできないかしら。外野から申し上げる分には簡単で、きっとなかなかそうできない事情がおありなのでしょうけれど」

「……言ったら、嫌われないか、心配で……。今回の件でますます面倒な女だと思われただろうし、もう、私たち、だめなのかも……」

「だめなんかじゃないわ」

ネガティブな思考回路になってしまった優梨を励ますように、怜衣は力強く否定する。

僅かな失点でなにもかもがだめになってしまうような気がする、そんな強迫観念には、怜衣自身も覚えがあった。でも、ハルがそんな怜衣を変えてくれたのだ。

本当の自分をわかってくれて、歪んでしまった本心を解きほぐせるまで、根気強く付き合ってくれる、そんな相手は必ずいる。

優梨にとってのそれは、渋澤のはずだ。……そう思いたい。

「……でも……」

「高田様が行動を起こされたことで、渋澤様に気持ちをぶつけるよい機会ができたのです。そうは思われませんか?」

「………」

「不満はあるけれど、嫌いになったわけではないと、きっとわかっていただけるはずです。伝わります。お目にかかったばかりの私ですら、高田様が愛情深くて、相手の気持ちを尊重される、素敵な女性だとわかるのですから」

勇気を持って欲しい、と思いながら微笑みかけると、優梨は少し意外そうな顔になった。

「三嶋さん……。雑誌に載っていたクールな姿とは、随分イメージが違うんですね」

「あ。……その、お嫌でしたか。イメージが崩れて……」

以前、渋澤が話してくれた。優梨は雑誌を見て、怜衣の作る菓子に憧れを持ってくれていたらしい。その話を今更思い出して、怜衣は少し焦った。

素の怜衣があまり『女王』らしくなくて、がっかりさせてしまっただろうか。

「いえ。とても素敵な方で、嬉しいです。三嶋さんを見習って、私も彼を、怒鳴る――まではできなくても、少しはぶつかれたら……いいんですけど……」

優梨は気持ちを吐き出して、少しはすっきりしたようだったけれど、だんだん、自信なげに、声が小さくなっていってしまう。

芯は強そうだし、怜衣相手にはきちんと気持ちを説明できているのに、と思うと、当人同士の問題とは思いつつ、歯痒かった。


「なんか怒らせるようなことした自覚はあるの？」

渋澤へ問いかけるハルの声に、怜衣ははっと我に返る。

結局優梨は、はっきり自分の気持ちを伝えるというところまでは、決心がつかない様子だった。そうかといって、怜衣が優梨の気持ちを代弁するわけにはいかない。

渋澤の方から、優梨の迷い込んだ袋小路に救いの手を差し伸べてくれればいいのに、と思いながら、彼を見つめる。

「いえ……」

「それにしたって、わがままな彼女で、大変だね。同情する」

「彼女はわがままなんかじゃありません。いつまで経ってもプロポーズにいい返事をもらえないからと……僕が焦りすぎたんです。彼女の了解を得ずに、客船に乗せるなんて」

「話をするために乗せたんだろ？」

「ええ。でも……自分の本気をわかってもらうことに必死になりすぎて、熱が入りすぎたのが、彼女は嫌だったのかも……もっと色々なことがスマートにできていれば、と、悔やまれます」

「でも、そうなにもかも完璧にはいかないもんじゃん。結婚の時期には、仕事の都合も関係するしさ。男だって色々考えてて、勇気もいれば、焦りもするのに、そこのとこわかってもらえないのは悲しいね。ねえ、どうすんの、婚約披露パーティ。今更穴は空けられないんじゃない？」

「パーティ……」

思い出したかのように、渋澤は呟いた。

「……会社の都合で決まった、あんなものの予定に左右されて彼女を失うのは……あまりに、バカみたいだ。——中止にしてもらいます」

「えっ」

渋澤の乾いた声が、怜衣の思考を断ち切った。

（それで——いいの？　本当に……？）

そんなことをしてしまったら、ますます優梨が気に病みそうだ。

どう見ても二人は相思相愛で、相手のことを一番大切に思っているようなのに、どうしてこんなに話がこじれてしまうのだろう。

ほんの少し、ボタンを掛け違えてしまっただけ。そんなふうに見えるのに――。

「すみません。ジェラルドさんはじめ、ご列席の方にはすぐ連絡させていただきます」

「わあ、大迷惑。各方面からお叱りが飛んでくるんじゃないの。男のメンツ丸潰れだよ」

どこか楽しそうに聞こえる声で、ハルが言う。しかし渋澤は相手にせず、毅然と言った。

「彼女より大切なものなんて、自分にはありません」

携帯電話を取り出し、ボタンを押そうとした渋澤の腕に、華奢（きゃしゃ）な体が飛びついた。

「……優梨……」

「だめ……！　中止なんて、そんな……」

ウォーキングデッキに備え付けた救命胴衣入れの中から飛び出してきた優梨は、渋澤を必死に止める。渋澤は慌てた様子で携帯電話をしまい、彼女を強く抱き締めた。

「優梨……どこに行ったのかと……心配したよ……」

「ごめんなさい……私が、悪かったの。私が……」

「次の港で降りて、ゆっくり話し合いをしよう。僕が悪かった。全面的に優梨の言う通りにする。だから、許して欲しい」

「それは……。それは、だめです。いろんな方に、迷惑が……」

（……あ。また……自分の気持ちを抑え込んでしまっている）

渋澤の腕の中で、泣きそうな声を出す優梨を見て、怜衣は助け舟をどうやって出せばいいのかわからず、気を揉んでいた。

思っていることを伝える。それだけのことが、どうしてこんなに難しいのか。

愛し合っているからこそ、互いを思いやるからこそ、すれ違うこともある。

両手の指を組み合わせ、はらはらしながら見守っている怜衣の後ろで、コン、と鈍い音が鳴った。ハルが、優梨の隠れていた救命胴衣入れの扉をつまさきで蹴ったのだ。

「彼女、こんな暗くて狭いところに、昨日一晩中隠れてたんだってさ。シブサワさん。明るくなってからは、目立たないように図書館へ移ってさ」

「…………」

「それくらい思い詰めてたんだから、そう結論を急がず、ちゃんと話聞いてやんなよ。パーティを中止にするのは明日でも明後日でもできる。部屋に帰って、冷静に話をして。……脳みそ疲れるくらい話し合ったら、レイ・ミシマが特製デザートを差し入れてくれるってさ。あまーいやつ」

「……話し合い、うまくいくかしら」

ハルに促され、恋人たちを残してその場を後にしたものの、怜衣は後ろ髪を引かれるような思いだった。

「そんなの当事者次第だろ」

「そうだけど。……あなたは冷静ね」

「だって俺には関係ないし」

バックヤードでエレベーターを待ちながら、ハルはだるそうに頭の後ろで手を組んだ。

やれやれ面倒なことに付き合わされた、というふうに装っているが、きっと彼が渋澤を挑発するようなことを言ったのは、救命胴衣入れに隠れていた優梨に聞かせたい言葉があったからだ。

（……優しいくせに、隠すんだから）

どう介入していいか迷っていた怜衣に代わって、二人でとことん話し合うようにと促したのもハルだ。自分の無力さは情けなく思うけれど、彼がいてくれてよかったと思う。

なんだかんだ言って、ハルに助けられたのだ。

「ありがとう、ハル」

「は？　俺はあの二人がくっつこうが別れようが、どうでも……」

「そうね。でも、ありがとうを言わせて」

「……変なレイ。……ったく、まどろっこしい二人だよなあ。意地とか、分別とかさあ。そんなものに固執して、大事なものがわかんなくなっちまうなんて」

「……わからなくなんて、なっていないと思うわ。ほんの少し、素直になるタイミングがずれてしまっただけ。私にはわかる気がするわ。歳を重ねる分だけ、余計なものがくっついて、本当の気持ちが言いづらくなるものなの」

「またすぐそうやって、俺のこと子供扱いして」

「そういうんじゃないわ」

唇を尖らせたハルに、怜衣は微笑みかける。彼のことを子供だなんて思っていない。むしろ今回、ハルはとても頼もしかった。でも、人に助けられっぱなしはやはり少し悔しいので、怜衣も自分にできることをしよう、と思う。

エレベーターが到着を示すチャイムを鳴らした。

「さ。厨房に戻りましょう。二人のために、デザートを作らなくちゃ」


ケーキの方は準備万端だったが、そこに添えるはずだったジュエリーボックスを模したチョコレート細工は、指輪を渡すという用途が保留になったので用なしになってしまった。

透かし彫り風の模様が施された、小さな箱。こうなってみると、エンゲージリングを入れる予定だったその意匠は、檻(おり)に似ているようにも思えてくる。優梨の感情を不自由な場所に閉じ込めてしまった、婚約、という名の檻――。怜衣は箱の中に、いちごやキウイ、パイナップルなど、一口サイズに切ったフルーツを詰めることにした。

「宝石箱？」

「ええ、そう。宝物のような、二人のこれまでの思い出を、食べながら思い出してくださるといいなって」

ハルに言いながら、怜衣は手を動かす。

大事な友達に贈るプレゼントのように、心を込めて。言葉にするのは少し気恥ずかしく、また押し付けがましくなってしまいがちな応援の気持ちも、視覚と嗅覚、味覚という感覚越しに、少し婉曲(えんきょく)に伝えられる。製菓の仕事は奥深いものだと改めて思う。

「そっちは？　予定に入ってなかったよな、梨のコンポート入りのジュレなんて」

「ええ。これは、私から高田様へ、個人的なメッセージを込めたアヴァン・デセール（一皿目の軽いデザート）。高田様のお名前には、梨の漢字が入っているから」

「漢字？　ふうん……」

彼女の、少しわかりづらいけれど、ゆっくり染み出してくるような優しさを、糖度で。大人っぽい可憐(かれん)さを、華やかな白ワインの香りづけで。相手の本心を見抜いてしまう聡明さを、カモミールの風味で表してみた。

（あなたは、このコンポートの味みたいに、優しくて魅力的な女性よ。だから、自信を持って。前に一歩、踏み出して）

なんて。

「おまじない程度よ、こんなの。うまくいきますようにって」

そしてグラン・デセール（メインのデザート）のケーキの盛り合わせは、ジュエリーボックスだけ皿を分け、バトラーに頼んで、渋澤と優梨の目の前で、フランベをしてもらうつもりだ。

香り高い青い炎が、チョコレートの檻を溶かし、中に詰まったフルーツに甘く絡む。

少し自己満足的かもしれないけれど。

そこに含まれた怜衣の意図に、二人は気付くだろうか。

ルームサービスのバトラーにデザートを運んでもらうと、あとは怜衣たちにできることはなかった。

翌日、渋澤から電話で礼を言われたが、まだ話し合いは続行しているようだった。そばに優梨がいるらしく、彼は詳しい顚末(てんまつ)は語らなかったし、怜衣も聞かなかった。

怜衣とハルは今まで通り、作業場で菓子を作り続けた。

そして『ディアマント』がイタリアのアマルフィ沖合に到着した朝。

気になってウォーキングデッキから甲板の様子を見守っていた怜衣の目に映ったのは、手をつないでテンダーボートに向かう二人の後ろ姿だった。

一歩後ろを歩く優梨を気遣うように振り返った渋澤が、上にいる怜衣に気付いて会釈する。それを見た優梨が、同じように振り返ると、途端に笑顔になった。

二人に手を振り返しながら、怜衣の心には、確かな満足感と、自分がこれからどんなパティシエールを目指していきたいかのビジョンが浮かび始めている。

騒動が一段落して、日常が戻ってきた。色々あったおかげで、恋人への理解も深まった——とプラス思考で考えたいところなのだが……。

（……この子、やっぱりわからないわ……）

　怜衣が頭を抱えたくなっているのは、結局、バナナケーキは誰のレシピなの、というところから始まった話に起因する
「……うーん。俺の母親っていうのが、社交好きで、子供に構わない人でさ。その代わりにかわいがってくれた台所メイドが、面倒見がよくて、いつもいい匂いがして、ま、ほのかな初恋というか、母親代わりというか。一緒にクッキーとかパイを作ったりしてくれた人で。彼女に教わったレシピなんだ」

　地雷を踏んだような気がして、怜衣は横になって目をつぶったまま、口をつぐんでいた。

「レイ、妬いてる？　ガキの頃の話だよ」

　嫉妬とか、そういうことではないのだが。

「……初恋は、家庭教師じゃなかったの？」

「あれは十歳くらいの時。兄貴そんなことまで喋ったの？　……ねえ、そういう原風景、っていうか、憧れって、大人になっても残るものなのかなあ。別に、パティシエールだからレイに惚れたんじゃないけどさ」

　純朴な少年のようにはにかむハルに、我慢の限界だった怜衣は思い切り突っ込む。

「なんで憧れの原風景がこんなことになるわけ？　謝りなさい、そのメイドさんと私に、とりあえず！」

「あ、動いたせいで生クリームがずれただろ。もう、じっとしててって言ったのに」

ハルは怜衣の脇腹のクリーム装飾をごそっとパレットナイフで削り取る。取りきれないところはぺろりとハルに舐め取られた。

「っ……ん」

怜衣がくすぐったさに身をよじると、唇を舐めながら、意地悪くハルが笑う。

「興奮して体温あげないでよね。クリームが溶けないためには、レイの冷たい皮膚がちょうどいいんだから」

（くっ、こんなばかばかしいこと、さっさと済ませてもらおうと思ったのに……）

全裸で床に横たわっている怜衣の全身に、生クリームその他でトッピングするのが、優梨を探すために彼のシステムを使わせてもらったことへの『報酬』らしい。バナナケーキ云々は、黙っていられると恥ずかしくてじっとしていられないからなにか喋って、という怜衣のリクエストに基づいたものだったが、完全に裏目に出てしまった。

「なんだって、そんな素敵な思い出から、こんなやらしい発想が出てくるわけ……？」

「ガキの頃はそんなこと考えてないって。大人になったからこそ……。あ、でも小学生の頃、兄貴が隠してたエロ本から、クリームプレイのピンナップを切り抜いたりしてたから、やっぱり興味があったのかなあ。フルーツいっぱい体にのせててさ、すっごいキュートで。子供心にうまそうって思ったんだよね」

「変わったフェチ……」

「あのピンナップ、どこにいったのかな。確か父親に見つかったんだけど、うまく言い訳

したんだっけ。なぜか兄貴が叱られてた。あの人ほんと下手くそなんだよね、生きるの」

「それはちょっと……あなた……嫌われても仕方ないかも……」

同じことを弟にされたら、怜衣だって一生許さないかもしれない。

「レイだって子供の時から嗜好の片鱗はあったんじゃないの？　ドＭの」

「……ないわよ」

実は心当たりがなくもないのが口惜しい。大人向けのエッチな漫画の、ヒロインがいじめられるシーンのページだけ、妙にどきどきしながら、何度も開いていた記憶がある。

「別に、いいじゃん。誰にでも趣味をオープンにするって意味じゃなくてさ。パートナーに協力してもらって夢をかなえるくらい、許されるだろ、大人なんだから」

「……夢？」

「浪漫、かな？」

（……明るい変態……）

日本人にはあまりいないタイプだった。ハルが楽しそうに話すと、性的なものがタブーではなく、個性のひとつのように思えてくる。ずっと後ろ暗く感じていた自身の性癖も、彼といることで、少しずつ前向きにとらえられるようになってきたのかもしれなかった。

ハルは生クリームの絞り袋を置くと立ち上がり、冷蔵庫の中から、事前に用意していたトッピングの材料を出していく。いちごにブルーベリー、ラズベリー、オレンジの飾り切り。マカロン、削ったチョコレート、粉糖、はちみつまで。

どれも怜衣が選び抜いた最高級の材料なのに、こんなことに使われるのか、と思うと泣けてくる。

「厨房の作業台の上ならロケーション完璧なのになー」

「それだけは死んでもイヤよ……！」

最初に一も二もなく断ったはずなのに、まだ言うのか、と怜衣はハルを睨んだ。

「レイ、潔癖症」

「普通よ、普通。材料も道具ももう使えないから、本当に買い取ってもらうからね」

「いいよ。金ならあるもん、俺」

道具買い取り、場所はハルの部屋、撮影禁止、というのが、怜衣の出した最低条件だった。なので、ハルは床を片付け、銀色のシートと花屋で譲ってもらったレースペーパーを敷き、そこに怜衣を寝かせている。飾りつけをされながら、まるで食べられる直前のケーキそのものになったようで、これはこれで落ち着かない。

「腰掛けの見習いに、こんないい道具を売るのも、なんだかね……。二度と使わないんでしょうし」

「それはアンコールリクエストと思っていいのかな、女王様」

「そんなわけないでしょ、ばかっ！　……ん、つめた……」

クリームのないところに直に輪切りのオレンジを置かれ、思わず声を出した。

トッピングを置いていたハルが怜衣の方を向き、目が合う。

存外真剣な——職場で時々見せる顔をしていたので、どきん、と心臓が跳ねた。

(ずるい……私ばっかりこんな恰好させられて……)

怜衣の方から視線をそらし、恥ずかし紛れにまたリクエストする。

「な……なにか、喋ってよ」

「……きれい。レイ」

「ばっ、バカ……」

「ほんとにきれい。レイ。見て、俺の作品」

ハルは、用意していたらしい大きめの額縁サイズの鏡を怜衣の頭上にかざし、見えるように角度を調整する。もっとばかばかしくあられのない姿を想像していた怜衣だが、生クリームで細かく作られたフリルは少しドレッシーなビキニのようで、肌に直接チョコレートで描かれた模様はアジアンテイストのタトゥーのよう、フルーツの彩りはバランスよく美しく、意外と見られる姿だった。

「……うん……。まあまあ、かわいい、かもね」

「合格?」

「……そうね……」

悔しいが、これはこれで、ちゃんとしたモデルを使えば、グラビアに使えそうな出来ではある。

(本当に、なんでもできるのね、ハルって……)

生来の器用さでどんなことでもあっさりこなしてしまえるのだから、彼の近くにいる人はたまったものではないと思った。

「ちゃんと、味見して」

ハルは腰まわりにラインストーンのように配されたいちごのかけらと生クリームを舌で掬い取り、怜衣に口移しする。

「……は、ん……」

二人の舌の狭間で生クリームが溶けてしまうまでじっくりと口内をかき回され、採点どころではなかった。冷たく甘い口どけから、いちごの酸っぱさ、蕩ける淫靡な後味までしっかり味蕾に焼き付いて、体の芯に火がともる。

「まあ、採点は後か。レイ的には、お楽しみはここからだもんね」

「え？」

キスの余韻にぼうっとしていると、耳元で囁きかけられた。

「ゆーっくり、味わって、食べてあげる。せっかくきれいにできたんだから、暴れたり、体温あげすぎたりしないでね？」

「な、な」

「枷もされてないのに動いちゃだめとか、ドＭのレイにはぴったりだろ」

こんなの好きじゃないとか。今すぐ洗い流して欲しいとか。

……いくつか言葉が思い浮かんだけれど、それは密やかに体の中で湧いた反応とは、真逆で。

ひとつ溜め息をついて、抵抗する心を押し流す。

どうせこの子には、なにもかもバレてしまっているのだから。

「……ひとつ、お願いしてよければ」

「なに?」

「眼鏡……かけて、くれたら嬉しい」

「……ははっ、なに言うかと思ったら。——いいね、レイの体がよく見えるし」

ハルはデスクに行くと、置いてあった黒セルの眼鏡をかけ、これでいい? と訊く。

怜衣は眼鏡フェチではない。けれど眼鏡をかけたハルは、年齢よりも大人びて見えて、色っぽくて、意地悪そうで、そんな理由を頭で考えるよりも——ぞくん、と体が震えて、それが答えだった。


淫らな遊戯の残滓の残るシートの上で、胸やけがするほど甘い余韻に力尽きながら、怜衣は問いかける。

「ねえ、ハルは……。癖で呼んじゃってるけど、ハロルドって呼んだ方がいい……?」

「ううん。俺、ハルが自分の名前だと思ってる。祖父が船殻(せんこく)(船体のこと。英語でhull)って名付けたがってたって聞いたから」

「そう……。でも」

愛おしげに怜衣の背中を撫でるハルの手の優しさに、怜衣は言おうと思った言葉を呑み込みそうになる。けれど、――ここは理性を総動員する局面だった。

「ハロルドに戻った方がいいんじゃない？　その……もうすぐイギリスだし」

船長になることを諦められないと言っていた彼に、今一番大事なのはなにか、わからないほど怜衣は子供ではない。

「……レイはそれでいいの？」

「ええ。大学を卒業して、院に行きたければ行って、航海士としてここに戻ってくるまで、待ってるわ」

「俺はやだな……。あんた一人にするの。危なっかしいもん」

「大丈夫よ」

怜衣は体を起こし、虚勢にならないよう自分の感情をしっかり監督しながら、ガウンを纏った。

将来有望な年下の男の子。彼一人、陸に降ろして、怜衣はまた『ディアマント』で世界を一周する――。離れ離れになるのが、怖くないとは言わない。二十代になりたての子なんて移り気で当然。彼のような男の子なら、誘惑も多くて当然。でも――離れても大丈夫、そういう根拠のない希望も見える。自分の愛も、ハルの愛も、見失わない。きっと大丈夫。そう力強く言えるくらい、ハルは、怜衣に愛される実感をくれた男性だ。

「くれたサファイア、『誠実』の石なんでしょう？　あれを持って、待ってるから」

「……うん」

　雰囲気がしんみりしてしまいそうで、怜衣は慌てて仕事モードで取り繕おうとする。

「……まったく、なんともばかばかしい卒業制作だったわね。でも、確かに見届けさせてもらったわ。トッピングの才能は、なかなかのものよ。手放すのが惜しいくらい。……シャワー借りていいかしら」

「レイ」

　背後から抱き締められ、胸が詰まった。

　これは演技ではない――少しだけ強がったかもしれないけれど、本心だ、自分たちは大丈夫だ――。

　そう自分に言い聞かせて、不安を押し殺そうとする怜衣に、ハルは言った。

「結婚しよう」

　さすがに、声が出なかった。彼に驚かされるのは日常茶飯事だったが、今度ばかりは、なにを言い出したのだろう。冗談でしょう、と、思わず怜衣は半笑いになってしまう。

「なに、言って……」

「離れ離れになるなら、せめて籍だけでも、先に入れたい」

「籍だけでもって」

「レイを俺の妻にしたい」

「ハル、あのね、結婚ってそういう軽い気持ちでしていいものじゃ……」

いつかは――という話なら、ありだ。いつか結婚しよう、というのなら、その言葉を遠距離恋愛の支えにしたっていい。けれど、ハルの話は今すぐ結婚、のニュアンスに取れる。

ふざけている様子もない。

「俺の気持ち、軽くなんかないよ。欲しいものは手に入れなきゃ気が済まないし、……手に入れた後だって、溺愛する」

怜衣を向き直らせて、ハルは真剣な表情で告げる。ときめきに胸が疼いたが、この暴走について行けるほど、怜衣は若くも無知でもない。まだ付き合い始めて間もないし、家格の問題だってある。大会社を経営する彼の家族が、なんと言うか。つりあいの取れない結婚が悲劇を呼ぶ例を、漫画や小説でも、そして現実でも何度も怜衣は見てきた。

「こういうのは二人だけでしていい話じゃないわ、両家の問題……」

「家なんて関係ない。障害なんか、蹴散らしてやればいい」

「でも……」

「俺はレイの両親に、ちゃんとレイを幸せにできるって証明できるよ。海より深く愛し合ってるし、他のどんな男より性的嗜好の相性がいい自信あるし……」

「絶対言わないで、そんなの！」

優等生の長女として振る舞ってきたのだ。彼氏とＳＭプレイのまねごとを嗜(たしな)んでいるなんて知れたら、真面目な怜衣の両親は卒倒してしまうだろう。

「レイの欲しいもの、なんだってあげる。気持ちいいことも、つらい時のハグも、たっぷりの愛情も。自分のお店持ちたいなら、資金もコネクションも任せてよ。システムの特許、いくつか持ってるんだ」

「見習いにパトロンになっていただくほど、レイ・ミシマは落ちぶれちゃいないわよ。自力でなんとかします」

「さっすが。自力でなんでもかなえられるバイタリティーがあるってこと？」

「……そうあるように努力するわ」

「じゃあ、別に結婚くらい、レイ・ミシマの邪魔にはならないんじゃない？」

「…………」

「きれいな夢も、楽しい家庭も、全部手に入れなよ。俺といると楽しいでしょ」

弁の立つハルにどう返事をしようか悩んでいると、彼はうやうやしい仕草で、怜衣の左手を取った。床から拾い上げたペーパーコルネから、細いチョコレートの線を絞り出し、怜衣の薬指の付け根に指輪を描く。

「ちょっと……ハル」

まるきり子供の、らくがき遊びのようだった。指輪を描いて口づけ、手錠を描いて口づける。手の甲や腕の上に、チョコレートで描かれるのは、天使の羽。王冠。ケーキ屋さん。車。家。赤ちゃん。花。

たちまち怜衣の左手は、ハルの描いた幸福そうなモチーフだらけになってしまう。

「俺と一緒に、なろうよ」

やっていることとは裏腹に、本気らしいハルの低い声に、とくん、と胸が脈打つ。

（ああ、なにこれ。バカみたい。聞いたことない、こんなプロポーズ）

誰かが見ていたら、冗談だと笑うかもしれない。怜衣自身、どうして、ふわふわと高揚した気分になってしまっているのか、わからない。

（結婚したら、楽しいよ、なんて……）

そんな単純なものじゃない。そう思うのに、甘い誘惑が囁きかける。

（一人で生きるって、思っていたのに……）

誰にも頼らず、隙を見せずに。……でも本当は、甘いものだって、欲しかった。

ありのままの怜衣を受け入れて、甘えさせてくれる居場所が、得られるものなら得たかった。

「レイは傷つきやすいから。男に裏切られたり、失望させられたりするのが怖いんだろ」

「…………」

「でも、俺を信じて、飛び込んでおいでよ。幸せをあげる。後悔させないから」

「……ハル」

「たっぷりの甘い航海を。しよ。レイ。愛してる」

じん、と、ハルの言葉が耳朶の奥で熱を持つ。

甘い、甘い、溺れてしまいそうなほどの愛を怜衣に差し出しながら、ハルは。

「わかりやすい人。顔を見たら、あんたの気持ちはわかっちゃうんだってば。……でも、大切なことだから、あんたの声で、聞きたいな。ゆっくり三カウントしてあげるから、さあ、心の準備して?」

最初に関係を迫った時と同じような言葉を、あの時とはまるで違う、はちみつのように甘い声で告げる。

(——意地悪。ドS。こんな、人生がかかっている選択を、三カウントで決めろですって……?)

そう思いながら、見えない枷に、ゆっくり、心ごと絡め取られていくのを感じる。

声なしの、唇だけのカウント。

スリー。ツー。

ワン、を告げる前に、怜衣はハルの唇を、唇で封じた。

番外、ハッピーエンドをその手に

「怜衣さんのお父さん、お母さん。このたび無事大学を卒業しました。コンパニ・デュ・プラティヌの客船の甲板部士官研修生としてキャリアをスタートさせます」

——遠距離恋愛中の恋人のハルが、神戸の旧居留地近くで洋菓子店を営む怜衣の実家に遊びに来たのは、これが三度目だ。最初はたどたどしかった日本語も、毎晩のように怜衣とチャット通話で練習するうちに上達し、今は両親とも通訳なしで簡単な意思疎通を図れるようになっている。大学のカリキュラムや将来のための勉強で忙しい中「日本は俺の故郷になる予定だから」と言語の習得に励んでくれる恋人に、以前受けたのは確かに本気の求婚だったんだなぁ、と、怜衣は何度も心打たれてきた。……そして今日は手に汗握る思いで、彼の滑らかな発音を、リビングのソファの隣に座って聞いている。

怜衣の知る限り、ハルは緊張などとは程遠い気質だったけれど、人を掌の上で転がすようなおふざけはなりを潜め、背中を伸ばして座り、ゆっくりと落ち着いた喋り方を心がけているようだった。服装も、ビジネスシーンで通用するようなきちんとしたジャケットを着、ネクタイを締めている。佇まいが『ディアマント』に乗船していた頃とは見違えるようだった。彼は怜衣の両親を交互に見た後、深く頭を下げる。

「本日はお二人にお願いがあります。怜衣さんと私の結婚をお許し頂けないでしょうか。お付き合いをさせて頂く中で、怜衣さんが自分にとって替えがきかない人だと確信し、去年のクリスマスに正式なプロポーズをして承諾を頂きました。若輩者ですが、必ず何に代えても彼女を守り、二人で幸せになります。どうか結婚させてください」

どんな顔をしていたらいいのだろう、と思いながら、怜衣はハルと両親を交互に見た。

恋人同士の間では、このタイミングで結婚できたらいい、と以前から話をしていたが、結婚は当事者だけではなく両家の問題、特に自分たちを育てた両親に反対されれば、重大な障害が二人の間に立ち塞がることになる。在学中にハルが来日した時の両親の感触は悪くなく、国際結婚に対しても抵抗感は薄そうだと事前に知ってはいたが、それでもいざ、という時を迎えると、反応が気になって呼吸が止まりそうになる。

温厚な怜衣の父は、二十四歳という彼の若さが気になってか、喜色満面というよりは悩ましいような顔で隣に座る母を見遣ってから、口を開いた。

「……ハロルドくん。最初に君が会いに来てくれた時、いずれは怜衣と結婚したい、と聞かせてくれたが――正直、当時は現実感がなかった。けど、二人の意志は固いのだね？」

「はい」

ハルが迷いなく言い切ると、父は娘の方を見る。怜衣は、自分たちの本気を両親に伝えたいと、考えていたことを話し出した。

「彼と二人で、よく話し合ったの。去年は彼も現場実習で船に乗っていることが多かったし、私もパリ七区に路面店を出させてもらったから、客船との往復でずっと忙しく飛び回っていたけれど、それぞれが世界中を移動している間、物理的な距離がすれ違いに変わらないように、自然にお互いを思いやることができた。……『夫婦』と聞いて頭に浮かぶ……家を建てて、毎日二人ともそこに帰宅するという夫婦像とは違うけれど、自分たちはそういう形でもやっていけるんじゃないか、と実際に一年やってみて思ったの」

倍近い人生経験のある親の前で、恋人との将来設計を話すのは、どれだけ考えたつもりでも「甘い」の一言で却下されそうな気がして、指先が冷たくなった。ポーカーフェイスには自信があったつもりだけれど、隣に座るハルは怜衣の緊張に気付き、そっと手を重ね、きゅっ、と握り込んでくれる。それから、彼は言うのだった。

「実は、イギリスでは事実婚が増えています。結婚による経済的なメリットがほとんどなく、事実婚が公の夫婦と同じように機能するので。夫婦が協力し合いながら、互いの自由を尊重する……。愛する人と一緒にいられるのなら、私も紙切れの有無は気にしませんが、将来のパートナーに満足してもらいたい、という気持ちを強く持っています。儀式を経て、籍を入れ、周囲に承認をもらうことが怜衣さんにとっての『結婚』なら、そうしたい。承認が受けられるまで何度でも通ってきます。お二人の条件を満たせるまで」

怜衣の父は苦笑して肩を竦め、混ぜっ返すようなことを言う。

「……こんな遠くまで何度も来てもらうのは、悪いなぁ」

「いえ、ご両親に直接認めてもらうのが自分の望みなので」

両親の意向を尊重する姿勢を見せながらも、自分の希望は一歩も譲る気のないハルに、

(こういうところは、相変わらずだわ……)

かわいげを感じて、怜衣は少し肩の力が抜けた。

「条件などないよ。怜衣が好きになり、決めた相手だ。社会の荒波には既に揉まれていると怜衣から聞いた。人生の舵取りは大変だ、それがわかった上で、二人一緒にがんばってみようと思うのなら、やってみなさい。僕たちは応援しかできない」

父は自営業の苦労人で、子供に厳しいところもあったけれど、人生の分岐点――たとえば、怜衣がパティシエールになるためにパリ修行に行きたいと言った時には、同じように背中を押してくれた。怜衣は少し目が潤むのを感じながら、おそるおそる母を見る。

「お母さんは……？　応援して、くれる……？」

「……国際結婚なんて大変だとは思うけど……お父さんが許すって言っているんだから、仕方ないじゃない」

母は目をそらす。そういえばパリ行きの時もこの展開だったなと、怜衣は胸が痛くなった。母はいつも、怜衣が遠くに行ったり、「普通」から外れる言動を取ろうとすると、苦言を呈したり、突き放したりする。十代の頃は、未知を楽しむ自分と安全策を取りたがる母は、異なる人間なのだと諦めた。仕方ないと思いながら一人で旅支度を整えたし、洋菓子店の営業を休めないのを知っていたので、家族の見送りがないことも気にしなかった。

しかしクルーズの仕事で母娘客を見かけるたび、仲のよさに羨ましさを覚えていたのも事実だ。仕事は好きだが、プライベートな時間に、大切な人たちとのつながりにほっこりする時間があれば、より満ち足りる。ハルと交際をしていく中で、そういう幸福もあるのだと学んだから。

「お母さん。大変なこともあるだろうけど、それ以上に幸せな時間を増やしていけると……この人とならがんばれると思っているの。だから……」

「だったら、好きになさい。止めても、あなたは好きなようにするでしょ」

昔の自分ならそこで引き下がっただろうが、怜衣は努めて食い下がった。

「彼のことを知ってもらう機会がなかなか取れなくて、申し訳ないと思ってます。だけど私は、お母さんにも、ハル……ハロルドさんのことを、結婚を認めて欲しい」

うまく母と意思疎通ができなかった十代の頃を思い出し、語尾がやや震えてしまう。すると、流れを見守っていたハルがつないだままの手をもう一度握り込んで、口を開いた。

「最初に伺った時にお話ししましたが、私はあたたかい家庭とは無縁の環境で育ったので、怜衣さんから実家の話を聞かせて頂くたびに羨ましく思っていました。外国人ということは変えられませんが、お二人に息子として認めて頂ける日が来るように精励します」

本心かはわからないが、あのハルが実家のことを「羨ましい」と表現したことに、怜衣はひそかに驚いていた。心の傷、かどうかはわからないが、弱い自分を晒すようなことを、二十歳の彼は絶対にしようとしなかったから。

（この子も、日々、変わり続けているんだわ……いろんな人に出会って、経験を積んで）

恋人の若さと柔軟さ、未来の可能性を改めて実感し、怜衣は眩しさを覚えてしまった。

母もそんなハルにほだされる部分があったのか、表情が優しいものに変わる。

「ハロルドさん……当事者同士は、いいと思うのよ。怜衣は自立してるし、英語も話せるし。私たちだっていいわ、日本語を勉強して来てくれて、誠意を見せてくれたし、外国人だとかご両親と縁が薄いだとかは、どうでもね。だけど、もし子供ができたらどうするの？　怜衣一人で……。私だって店をやりながらの子育ては大変だったわ。ましてや勝手のわからない外国でなんて……」

「ご心配はもっともです。私は船の仕事につきますし、怜衣さんは店と客船を行き来します。夫婦で協力して子育てしながら、手が回らない時は、国や自治体、民間のチャイルドケアサービスを活用することもあるでしょう。……実は私は幼少期、尊敬する祖父に連れられて世界一周の客船に乗っていたことがあります。船の中で、様々な国籍の人にかわいがられ、色々な遊びや文化を教えてもらいました。そんな風に、時期を選んで子供に豊かな学びを与えたいとも考えています。絶対に、私たちの間に生まれてくる子供を、大人の生活の犠牲にしませんし、怜衣さん一人に苦労を負わせはしません」

「……そう。だけど、そう思い通りに行くかしら……」

「……はい。私も、まだ不勉強で、未熟です。一つの街に腰を据えて店舗経営をしながら、怜衣さんと弟さんを協力して育てあげたお父さんとお母さんに、人生の先輩として学ばせてもらうことが、たくさんあると思います。どうか力になってください」

ハルは改めて姿勢を正し、膝に手をついて深々と頭を下げる。母はクマのこびり付いた目で不安そうに父を見た。頷く父に、ふうと重たい息をこぼして、母はハルに向き直る。

「ふつつかで意地っ張りな娘ですが、よろしくお願いします」


その後、実家に泊まっていくか、と問われたものの、両親が仕込みで明日の朝早いことを知っていたので遠慮し、夕食だけ一緒に食べて、二人で辞去した。前もってそうするつもりだったので、タクシーで予約していた近隣のホテルに向かう。

「……なんか、思ったよりゴタゴタしちゃって……悪かったわね。疲れたでしょう」

「別に。大切にされてる、ってことじゃん」

暗いタクシーの中で、ハルはジャケットの前を開け、ネクタイの首元を緩めながら、いつもの口調に戻る。無造作な仕草に、少し胸がどきっ、とした。

「……びっくりしちゃった。お父さんも見たことがないくらいよそよそしいし、お母さんもちょっと非難がましい感じで……。あなたのことは恋人として紹介済みだったし、結婚挨拶とはいえ、もう少し予定調和な感じになると思ったのだけど」

「結婚ってそれだけ重いもんだろ。あんたの両親だって、長年大事に育てた娘の人生がかかってるんだから、慎重になるし、失敗して欲しくないだろうし。わかるよ」

「……そういうこと言うの。ハルも、猫かぶりが堂に入ってた。大人になったのね」

「そりゃ、認めてもらわなきゃと思って、何度もシミュレートしたからな。人生で一番緊張したかも。パティシエのお父さんから、後継ぎに相応しいかテストする、って言われたら、久しぶりに絞り袋持たなきゃいけないか？　と冷や冷やしたけど」

「さすがに、それはないけど……」

「まあ、鬼上司にしごいてもらったから、体に染みついてるとは思うけどさ」

最後はそんなふうに茶化されてしまったが、ハルに常識的なことを説かれたり、真剣さが伝わるようなことを言われると、日頃のギャップも相まってきょとんとしてしまう。

やっぱり年下だなぁと思う日もあれば彼に教えてもらう日もあって、「元・上司と部下」と一口にくくれない関係を、時間をかけて築き上げてきたんだなぁと、今は感慨深かった。

「あなたがそこまで緊張するなんてね……そりゃ、おおごとのはずだわ」

「そうそう。緊張をほぐすために、怜衣と待ち合わせの前に寄り道が必要だった」

ハルは持っていたトートバッグのファスナーを開けると、ほい、と渡してのける。

バッグを膝に置いて中を覗き込んだ怜衣は、無造作に突っ込まれているものに、言葉と冷静さを失った。一見パソコンのマウスか何かかと思ったものは、アダルトグッズ――バイブだったのだ。

「なっ……なっ……こんなもの……どこで……！」

「駅前の……。日本の書店って、こんなのまで置いてるんだな。携帯電話アプリで、世界のどこからでも遠隔操作できるバイ……」

「こらっ」

タクシー内の会話は英語で行っていたけれど、神戸に観光に来る外国人観光客も多く、運転手が英会話のできる人という可能性は大いにある。

二人だけで密室にいるならともかく、他の人のいる場所でイチャイチャしたり、モラルのない会話は日本ではNGなのだと、ハルに視線で訴えた後、怜衣は抑えた声で言った。

「……特殊な書店よ、それ。しっかり挨拶してくれて見直したのに！　台無しっ」

「怒った怜衣もかわいいんだから。モラルを破る快感、知ってるだろ、もう。さすがに両親への挨拶中につけろとは言ってないし」

「当然でしょ！　楽しみは楽しみ、大事な時は大事な時。ふざけるにも限度があるわ」

怒ってみせると、ハルはにやっと笑った後、体の力を抜いて、ずるりと怜衣の肩に体重をかけてきた。疲れて居眠りするように、目を閉じている。

「……大事な時は、もう、終わったろ。俺、がんばったよ」

「……それはまあ……そうね……お疲れ様」

急に年下らしく甘えて来られると、愛おしく思えてきてしまう。挨拶と言っても、恋人の父母から圧迫面接を受け、結婚相手として審査されるようなものだと思えば、気を張るだろうし、疲れただろう。その中で、彼は玄関で靴を揃えたりといった風習や覚えた言葉を駆使して、確かにすごく、がんばってくれた。

ハルは自分の実家と絶縁状態なので、父親へは電話一本で結婚報告を済ませ、怜衣が会う必要はないと言う。なので、苦労するのはお互い様、というわけではない。怜衣は感謝とねぎらいを込めて、そっと指先で彼の額を撫でた。目をつむったまま、ハルは言う。

「ホテルまで、まだかかる？」

「……もうすぐよ……」

早く横になってゆっくり休めるようにしてあげたい。そう怜衣が思っていると。

「部屋についたら、疲れを抜くために、たくさん遊ばないと」

「……はい？」

「気に入ってもらえるといいな……これがあれば、お互い、世界中のどこにいても、怜衣を愛せるね」

「うるさいっ！」

疲労は口ばかりで、自分の前では相変わらずえっちなことに貪欲な恋人——婚約者に、「やっぱりハルだわ」とあきれつつ、そういうところも含めて、怜衣はまんざらでもなく、少々心が弾んでしまうのだった。

それから四カ月後——怜衣とハルは、神戸寄港中の『ディアマント』のトップデッキ上、青天と海との間にしつらえられた祭壇で結婚式を挙げた。ハルの勤務先は別の客船になったし、怜衣もパリの店との両立があって、ミシェルに管理職の実権を移しつつある。

それでも、この船は自分たちが出会った思い出深い出発点だ。
船長のはからいで、披露パーティには出られない勤務中の同僚たちも、停船中の営業に差し支えのない範囲で集まってくれ、船客たちも合わせて、大勢の祝福を受けることができた。結婚の成立を宣言するように、鐘の音が高らかに鳴り響く。

その後の立食披露パーティは船内のフレンチレストランの一角を貸し切って行う予定で、怜衣の親族と二人の友人、親しい同僚たちを招待している。怜衣も、来てくれた人たち一人一人にきちんと自分でお礼を言って回りたかったので、挙式用の床まで裾（トレーン）を引き摺るウェディングドレスを脱ぎ、早々にブルーのマーメイドドレスにお色直しをした。

支度用に借りたスイートルームの、寝室側で美容師に支度を整えてもらい、リビング側へ移動すると、待機していたハルが歩み寄って来る。

「こっちのドレスも、すごくきれいで、似合ってる。怜衣」

「……ありがと。ハルもね」

彼は黒地に金モールの肩章・袖章のついた航海士の制服に制帽姿で式に臨んだが、パーティで大事な制服を汚してはいけないので、水色のベストと白タキシードに着替えていた。怜衣の持つブーケとお揃いの、青系の花でまとめたブートニアと青海波柄のチーフを、胸に飾っている。チーフは怜衣の両親が、彼に贈ったものだ。ハルはその手に、ジュエリーボックスを持っていた。青い石が、金の透かし彫りの意匠から覗いて見える。

挙式の間、スタッフに預けていた婚約指輪を、彼は箱の中から取り出してみせた。海の色を溶かしたようなブルーサファイアが、プラチナの美しい台座に留められている。

彼が以前スリランカで買ってプレゼントしてくれた裸石を、指輪に仕立てたものだ。

遠距離恋愛の間ずっと怜衣を支えてくれた、『誠実』と『慈愛』の宝石――。

「怜衣。俺と結婚してくれてありがとう。ずっと愛すると誓う」

ハルがそう言って、指輪交換ではめてもらった結婚指輪の上に婚約指輪を重ねてくれた。

時々金庫から取り出して眺めるばかりだった石を、とうとう身に着けている。その感激に静かに浸っていると、来訪者を知らせるベルが鳴った。怜衣は、ひそかに心臓を高鳴らせながら、小走りでドアに駆け寄る。廊下には、顔見知りのスタッフが立っていた。

「ご招待の皆様、お揃いです。お支度が整われましたら、どうぞいらしてください」

「ああ……ありがとう。写真を撮ったら、すぐ行くわ」

目当ての人ではなかった――と、ひそかに失望していると、後ろから音もなく忍び寄ったハルが、耳元で囁いた。

「……俺の両親なら、来ないぞ」

「えっ」

まさに怜衣が今思っていたことを声に出して言われ、まさかハルはエスパーの能力まで身に着けたのだろうか……とおののいてしまう。

「やっぱりそうか。挙式前からそわそわ、キョロキョロしてるから、カマかけてみたら。あんた、ずっと俺の父親に手紙送ってたんだろ？　今日の日時や場所も、教えた？」

「……っ……えっ……何で……。えっと……」

「隠し事できない人だな。自分で思ってるより、ポーカーフェイス、下手すぎ」

おろおろする怜衣に、ハルは目を細め、小動物をなぶるような顔をする。発覚すれば、勝手なことをして、と怒られるか、内心あきれられても仕方ない、と覚悟の上でしたことだったが、彼はどこか楽しんでいるようだ。

「……ごめんなさい！　ハルが二度と会いたくないって言っている気持ちをないがしろにするつもりはなかったの。……だけど、どうしても、あなたのご家族にも、今日のハルをひと目見て欲しかった。あなたが両親に挨拶してくれたみたいに、私もハルのご家族に……ちゃんと、妻として、彼の幸福を守りますって……けじめをつけたくて……」

「……ん。ありがとうな。気持ちだけで、充分だから」

理由を言えば言うほど、自分のエゴだと気付かされるし、彼を何重にも傷つけていはしないかと怖くなる。ハレの日なのだから、もしかしたら奇跡が起こって、親子の溝が簡単に乗り越えられるのではないかと――楽観もあった。今のハルの苦々しい表情や、奥歯に物が挟まったような物言いから、そんな簡単に決着がつく問題ではない、ということはひしひしと伝わってくるのに。

考えるうちに感情が溢れてきそうになるが、ハルは怜衣の髪型やメイクが崩れないように、触れるか触れないかのタッチでつむじや頬を撫でて、慰めてくれる。

「怜衣、せっかくきれいなのに、泣かない。たとえ余計なことでも、空回りでも、怜衣が俺のことを思って一生懸命してくれたことを、怒らないから。嬉しいから」

「余計なことをして、本当に、ごめんなさい……」

「いいって。……今朝、電話がかかってきたんだ。父親から。自分が行けば親子和解の件が方々に伝わって、兄貴がまた追い詰められるだろうし、俺の人生も道が狭まるだろうから。お前は勝手にお前の道を行け、って。あと、怜衣に、ありがとう、って伝えて欲しいって。心のこもった手紙から、息子の選んだ相手に間違いはないと感じた——とさ。……間違い、間違いじゃない、の二択で人をジャッジするところが、また、あの人のイヤなとこなんだけどさ」

ハルは軽やかな話し口で肩を竦める。家庭の問題にはもう踏ん切りをつけたと言いたげな顔に、怜衣の中で申し訳なさとは別の感情がこみ上げた。

「……ごめん、ね。ハル。……あの……ぎゅって、していい？」

「もちろん、いつでも大歓迎だけど」

怜衣は自分の化粧が白いタキシードにつかないように注意しながら、そっとハルの腰に手を回して、力を入れる。泣きたいような、胸が爛れるような、撫でたいような、撫でられたいような、形容しがたい感覚だけれど、それはきっと愛だと思った。

ハルのことが愛しい。どんな顔も、傷も、いつの間にか怜衣の前では隠さずに、全部見せてくれるようになった。その信頼や真心に、応えたい——と心から思う。

「愛してる。ハル。大好き。私も、ハルを幸せにするからね。ずっと、愛する」

「……ありがとう。大丈夫、俺には怜衣がいるから。親の代わりに見守ってくれる船長も、友達も。これからは、怜衣の両親だっていてくれる。だから、心配いらない」

「……うん……！」

「さ、皆が待ってるから、そろそろ行こう」

ハルの差し出したエスコートの手を取ると、そっと曲げた腕に導かれる。

二人並んで廊下を歩いていると、エレベーターからコック服姿の男が降りて来た。客室階でその制服を見かけることがまず少ないのに、プロレスラーのように厳つい彼が可憐な花束まで手に下げているので、一瞬、とても浮いた感じに見えてしまう。

男は廊下に立つ怜衣とハルに気付くと、ひょい、と頭上に花束を掲げて声をかけた。

「おめっとさん。こんなきれいな花嫁じゃ、クソガキにはもったいねえな」

「おー、おっさん。パーティはこれからなのに、こんなとこ来てて、暇なの？」

「俺の担当は前菜とスープなの。朝一で世界一のを仕込んだから、食って腰抜かすなよ」

「へえー、自信家だなぁ……。天狗になってないといいけど」

「あの、スー・シェフ……！　ありがとうございます。お忙しい中」

ハルとフレンチレストランのスー・シェフの会話は喧嘩腰の早口が通常モードなので、怜衣はうっかりするとすぐ会話から取り残されてしまう。だが、スー・シェフもわざわざハルと口喧嘩するために来たわけではないらしく、すぐに怜衣に向き直り、手に持った花束を渡してくれた。スズランとグリーンを束ねた、素朴で爽やかな花束だ。

「そっちこそ、忙しいところにすまんな。俺はこれを渡しに来ただけだ」

「えっ……ありがとうございます。わざわざ？」

「いや、用意したのは俺じゃない。実は、挙式にちらっと顔を出そうと思ったら、手が離せなくてな。途中から目立たない隅で見てたら、近くにいた人から預かっちまったんだ」

「まあ……。どなたが……」

　怜衣は、花束をくれそうな人に当たりをつけようとしたが、一人も思い浮かばなかった。くれそうな人はこの後のパーティに招待しているはずだし、それ以外の知人がたとえ今日のことを知ったとしても、たまたま乗船でもしていない限り、居合わせることは考えにくい。

　首を捻りながらハルの方を見遣ると、彼は憮然とした表情でスー・シェフに尋ねた。

「……渡してきたの、どんなやつ？」

「さあ、覚えてねえな」

「……はぁ～～？　相手のこと見ただろ。男？　女？　歳や服装は？」

「知らん。忘れた」

「は⁉　ジョーシキ大丈夫か？　あんた。調理場の人間だからってお使いの一つもできねえようじゃ、後々苦労すっぞ。わかってんのか？」

　まあ、言うようになったこと……と、怜衣は思わず在りし日のハルに思いを馳せてしまったが、スー・シェフの言うことも確かに不自然だった。つい先ほどのことなのに、相手の性別も年齢も何も覚えていないということが、果たしてあり得るのだろうか。

しかし、スー・シェフは肩をいからせ、あくまでもそう言い張るのだった。

「知らねえ人の顔ジロジロ見るの、失礼だろうが。渡すだけでいいって言われたんだよ。俺を責めるのは筋が違うだろ。メッセージカードかなんか、入ってねえのかよ」

「あ、入ってます。……けど、印刷された『結婚おめでとう』だけで差出人も何も……」

「……んだよ、使えねーな」

「ハル、言い方！」

声を荒らげたハルを怜衣がたしなめると、スー・シェフも、ポンとハルの肩を叩く。

「そうだクソガキ。お前は年長者に対する敬意ってもんがなってねえんだよ。これまでの人生で世話になった人を、せいぜい毎晩思い出して精査するんだな。じゃ」

スー・シェフは言うだけ言うと踵を返し、従業員出入口の方へ消えていった。

この妙な空気をどうしてくれる、と思いながら、怜衣は俯いたハルの方を見た。彼は何を考えているのだろう。――まさか、と、最悪の状況を思い、怜衣は先手を打った。

「ハル。もしかして、また私の元彼とか、あらぬ妄想をしてないわよね？」

「それは……してない。……ギンバイカ」

「え？」

聞き慣れない単語に、怜衣は首を傾げた。ハルは、廊下を睨んだまま、肩で息をつく。

感情を抑えるような仕草だ。スー・シェフへの怒りが収まらないのかとも思ったが、どうも雰囲気が違うような気がして、怜衣はハルが喋り出すのを黙って待った。

「……その花束に入ってるグリーン。ヨーロッパでは、マートルとかミルテとか呼ぶ。昔から結婚式のブーケや花輪に使われる植物で、結婚の象徴って言われてる。……イギリスではヴィクトリア女王の時代から、一枝のギンバイカをウェディングブーケに入れるのが伝統なんだ。……昔、ロイヤルウェディングの特集番組を、両親と、兄貴と、……見た。ギンバイカ入りのブーケも、スリランカのブルーサファイアもその番組で紹介されてて……俺も絶対、王室に負けないくらいのプリンセスを見つけるから、って……」

「…………」

「宣言した。皆、俺の言うことを聞いて、気が早すぎるって笑ってた」

「……ハル」

たまらず怜衣が名前を呼ぶと、ハルは怜衣の方を向き、強く抱き締めてきた。まるですがるように――、だけど、こみ上げる感情は肩で押し留め、泣きはしない。

怜衣はハルが落ち着くまで、じっとその場に立ち、彼の背中を撫で続けた。

自分の内側から溢れてくる優しさ、あたたかさ、愛情が、どうか彼の心を癒しますように。そしていつか、時間の手伝いを借りて、家族全員が分かり合える日が来ますように。

そう心から願う。

「……その夢が叶う日だ。今日は。幸せに、なろう。お姫様」

気持ちを立て直した彼に怜衣は頷き返し、差し出された手を取って、歩き出した。

あとがき

こんにちは、栗谷あずみと申します。このたびは『あまとろクルーズ　腹黒パティシエは猫かぶり上司を淫らに躾ける』をお手に取っていただき、ありがとうございます。

蜜夢文庫さんでは二冊目となる本作は、元々パブリッシングリンクさんでの電子書籍化を目標に書いた小説の三作目でした。二作目までは王道ラブストーリーが続いたのでそろそろ変化球的な企画を出してみようかな、という気持ちで資料を集めたのを覚えています。

結果、好きなものを詰め込んで、最後まで楽しく書くことができました。

豪華客船。スイーツ。クールな女上司と物怖じしない肉食部下。拘束。お道具。焦らし。言葉責め。生クリームプレイ！！　……などなど。

本作のヒロインとヒーローは、世界一周中の豪華客船の中で働いているのですが、退勤時間が来ても家に帰れるわけではないので、毎日同じ屋根の下で寝起きします。

そんな特殊な生活事情に加えて、ヒーローのハルがかなりの自由人なので、恋の進行も独特な、二人ならではの形になったのではないかな、と思います。

船上のバックステージ・ラブ、お楽しみいただけましたでしょうか……？